COMO PRATICAR

SUA SANTIDADE

Dalai Lama

COMO PRATICAR

O caminho para uma vida repleta de sentido

Organização de

Jeffrey Hopkins, Ph. D.

Tradução de

Eduardo Refkalefsky

Rocco

Rio de Janeiro – 2003

Título original
HOW TO PRACTICE
The Way to a Meaningful Life

Publicado mediante acordo com a Pocket Books,
uma divisão da Simon & Schuster, Inc.

EDITORA ROCCO LTDA.
Rua Rodrigo Silva, 26 – 4º andar
20011-040 – Rio de Janeiro – RJ
Tel.: 2507-2000 – Fax: 2507-2244
e-mail: rocco@rocco.com.br
www.rocco.com.br

Printed in Brazil/Impresso no Brasil

revisão técnica
HILDETH FARIAS DA SILVA

CIP-Brasil. Catalogação-na-fonte.
Sindicato Nacional dos Editores de Livros, RJ.

D138c Dalai Lama, 1935-
Como praticar: o caminho para uma vida repleta de sentido / Sua Santidade Dalai Lama; organização e tradução para o inglês Jeffrey Hopkins, tradução de Eduardo Refkalefsky. – Rio de Janeiro: Rocco, 2003
– (Arco do Tempo)

Tradução de: How to practice: the way to a meaningful life
ISBN: 85-325-1552-5

1. Budismo – Doutrinas. 2. Vida religiosa (Budismo). I. Hopkins, Jeffrey. II. Título. III. Série.

CDD – 294.34
03-0647 CDU – 294.3.4

Sumário

Prefácio

A primeira vez em que ouvi Sua Santidade, o Dalai Lama, ensinar foi em 1972. Três dias depois de minha chegada em Dharamsala, no norte da Índia, ele começou uma série de dezesseis dias de palestras, com quatro a seis horas diárias, sobre os estágios do caminho da iluminação. Comecei a estudar sobre o Tibete e praticar o budismo tibetano em 1962, e meus professores, agraciados com conhecimentos sobre os detalhes do Tibete, me prepararam para estudar com professores iogues refugiados tibetanos, na Índia. Mas, para ser sincero, eu não acreditava que um governante reencarnado – nascido no nordeste do Tibete em 1935 e reconhecido, por profecias, visões, acontecimentos extraordinários e testes, como o Décimo Quarto Dalai Lama aos dois anos de idade – pudesse ter capacidade para isso.

Entretanto, fiquei assombrado.

Ele falava sobre uma variedade de temas relacionados ao caminho da iluminação, conquistando meu coração e minha mente por meio de conceitos, grandes e pequenos, que clarearam tópicos não resolvidos, expandindo outros e me levando a novos níveis de compreensão.

Em tibetano, o Dalai Lama fala com tamanha rapidez e clareza que era impossível eu me distrair. Certa vez, ele estava particularmente inspirado ao descrever as conseqüências de se cultivar a compaixão. Sua voz aumentou até um nível que ele, brincando, descreveu como sua "voz de bode", através da qual ouvi a dedicação de um poeta inspirado. Durante a série de palestras, ele apresentou todo o conjunto de práticas que levam à iluminação, normalmente relacionando assuntos que outros deixaram isolados – tudo isso com a profundidade de um filósofo.

A mesma dupla voz de poeta e filósofo está presente neste livro. Algumas vezes, tocando o coração com descrições vivas sobre a condição da vida e as belezas do altruísmo. Outras vezes, fazendo esclarecimentos detalhados sobre práticas profundas, como a meditação acerca do vazio, que servem de sustentação para anos de contemplação.

Aos cinco anos de idade, o Dalai Lama foi levado para Lhasa, a capital do Tibete, onde iniciou o treinamento monástico. Por causa da invasão do Tibete oriental pela China comunista, em 1950, subitamente ele teve de assumir o governo do país aos dezesseis anos. Apesar das tentativas de cooperar com os invasores, ele se viu correndo risco de vida e teve de fugir para a Índia, em 1959. No exílio, foi bem-sucedido em restabelecer centros para toda a cultura tibetana.

A partir de então, tem viajado intensivamente por quase todo o mundo, levando uma mensagem – não apenas para budistas ou religiosos de outras crenças, mas para todas as pessoas – sobre a importância da compaixão para qualquer setor da sociedade. Em reconhecimento aos seus incansáveis esforços para os tibetanos e toda a humanidade, o Dalai Lama recebeu o Prêmio Nobel da Paz em 1989.

Sua Santidade publicou diversos livros, alguns para um público amplo, outros para os interessados no budismo. Neste livro, ele utiliza a longa tradição de prática espiritual do Tibete e sua própria experiência para oferecer sugestões de como praticar um caminho espiritual que leve à clareza mental e à transformação emocional. Desta forma, ele mostra como a vida pode estar repleta de sentido.

Durante os trinta anos que o conheço e durante os dez em que servi como tradutor chefe em viagens para palestras nos Estados Unidos, Canadá, Indonésia, Cingapura, Malásia, Austrália, Grã-Bretanha e Suíça, presenciei a incorporação dessas práticas em cada parte de seu ser. É importante para nós reconhecer que esta pessoa intuitiva, compassiva, bem-humorada e maravilhosa veio da cultura tibetana. Nós precisamos valorizar essa cultura como uma das grandes maravilhas do mundo.

JEFFREY HOPKINS, Ph.D.
Professor de Estudos Tibetanos
Universidade da Virgínia (EUA)

Introdução

A Necessidade de Paz e Compaixão

❖

Eu viajo para vários lugares do mundo e quando falo com as pessoas, faço como se fosse um membro da família delas. Mesmo que estejamos nos encontrando pela primeira vez, eu os considero amigos. Na verdade, todos nós conhecemos os outros, profundamente, como seres humanos que dividem os mesmos objetivos: todos procuramos a felicidade e não queremos o sofrimento.

Dois Caminhos para a Felicidade

Há duas maneiras de se conquistar a felicidade. A primeira é externa. Quando se consegue melhor abrigo, melhores roupas e melhores amigos, nós encontramos, em certa medida, felicidade e satisfação. A segunda forma é por meio do desenvolvimento da mente, que traz a felicidade interior. Mas essas duas abordagens não são viáveis da mesma forma. Quando alguém se sente vazio – se falta alguém em seu coração, por exemplo –, então por mais que se esteja cercado de luxo, você não é feliz. Mas se você tiver a mente em paz, você pode encontrar a felicidade mesmo nas circunstâncias mais difíceis.

Sozinha, a melhoria das condições materiais resolve um problema, mas cria outro. Por exemplo, algumas pessoas podem ter conseguido saúde, boa educação e prestígio social, mas se encontram distantes da felicidade. Tomam remédios para dormir e bebem muito. Falta alguma coisa, falta a satisfação, e essas pessoas então fogem para o álcool ou as pílulas. Por outro lado, pessoas com menos dinheiro para se preocupar ficam mais em paz. Dormem bem à noite. Apesar de serem pobres no sentido material, são alegres e felizes. Isso mostra o resultado de uma correta atitude mental. O desenvolvimento material não consegue resolver sozinho os problemas que a humanidade está sofrendo.

Neste livro, eu ofereço a você, leitor, técnicas importantes das tradições tibetanas que, se fizerem parte de sua prática diária, trarão paz para sua mente. Ao acalmar a mente e o coração, a agitação e o medo desaparecem naturalmente e você se sentirá mais feliz. Sua relação com os outros refletirá essas mudanças. Como um ser humano melhor, você será um melhor cidadão de seu país e, em última instância, um melhor cidadão do mundo.

BONDADE

Todos nós nascemos desamparados. Sem a bondade de nossa família, não poderíamos sobreviver, muito menos prosperar. Quando uma criança cresce o tempo todo com medo, sem ninguém com quem contar, ela sofre durante o resto da vida. Isto porque a mente de uma criança pequena é muito delicada, a necessidade de bondade, para ela, é óbvia.

Os adultos também precisam de bondade. Se alguém me recebe com um sorriso nos lábios, me trata de maneira amigável, eu gosto muito. Mesmo que eu não conheça esta pessoa ou sequer entenda a língua que ela fala, ainda assim ela alegra meu coração. Por outro lado, se não há bondade, mesmo que eu esteja lidando com alguém da minha cultura ou que eu conheça há bastante tempo, eu me sinto mal. Amor e bondade, um verdadeiro sentimento de fraternidade, tudo isso é muito valioso. Eles tornam possível viver junto aos outros, o que é crucial para qualquer sociedade.

O POTENCIAL HUMANO

Todos nós temos a noção do que somos realmente, conhecemos o nosso "eu". Também partilhamos dos objetivos fundamentais. Nós queremos ser felizes e não queremos sofrer. Insetos e outros animais também querem a felicidade e não desejam o sofrimento, mas não têm nenhuma habilidade especial para descobrir como conquistar a felicidade profunda ou superar o sofrimento. Nós somos seres humanos, temos a força do pensamento, temos este potencial e devemos usá-lo.

Em cada nível de nossas vidas – individual, fazendo parte de uma família, comunidade, país e planeta – os maiores causadores de problemas que nós enfrentamos são a raiva e o egoísmo. O tipo de egoísmo a que me refiro não é a noção do "eu", mas uma centralização exagerada de tudo em nós mesmos. Ninguém se considera feliz quando está com raiva. Enquanto a raiva dominar o nosso temperamento, não há como manter a felicidade. Para conseguir a paz, a tranqüilidade e a verdadeira amizade, precisamos minimizar a raiva e cultivar a bondade e um coração afetuoso. Você pode conseguir tudo isso pelas práticas que descrevo neste livro.

Ter um coração afetuoso também pode transformar os outros. Quando somos mais simpáticos, nossos vizinhos, amigos, família, cônjuges e filhos sentem menos raiva. Eles têm mais afeto no coração, mais compaixão e harmonia. O clima fica mais alegre, o que traz boa saúde, talvez até uma vida mais longa.

Você pode ser rico, poderoso e bem educado, mas sem os valiosos sentimentos de compaixão e benevolência, não encontrará a paz, não haverá paz em sua família – até seus filhos sofrerão. A bondade é essencial para deixar a mente em paz. Como você verá nas páginas seguintes, o método principal para conseguir uma vida feliz é treinar sua mente por meio de práticas diárias que diminuam as atitudes negativas e fortaleçam as positivas.

A grande questão é se podemos ou não praticar a paz e a bondade. Muitos de nossos problemas são causados por atitudes como nos colocarmos em primeiro lugar a qualquer custo. Pela minha própria experiência, sei que é possível mudar estas atitudes e melhorar a mente humana. A mente humana, apesar de não ter cor e forma, e às vezes ser fraca, pode ser mais forte do que o aço mais puro. Para treinar a mente, você deve exercitar a paciência e a determinação necessárias para forjar este aço. Se praticar para melhorar sua mente, com grande controle e força de vontade, tentando, tentando e tentando, não importando as dificuldades que possa encontrar no início, você vai conseguir. Com paciência, prática e tempo, a mudança virá.

Não desista. Se você for pessimista logo no começo, já estará fracassando. Se tiver esperança e determinação, você sempre encontrará o sucesso, de alguma maneira. Ganhar a medalha de ouro não importa. Você deu o melhor de si.

INTERDEPENDÊNCIA

Grande parte do mundo está conectada, hoje, por uma rede de comunicação eletrônica instantânea. No século XXI, nossa economia global fez com que países e pessoas dependessem uns dos outros. Antigamente, o comércio entre países não era necessário. Hoje, é impossível permanecer isolado, mas se os países não se respeitarem mutuamente, haverá problemas. Apesar de haver graves sinais de problemas entre as nações ricas e pobres, e entre os ricos e pobres em cada país, esta separação pode ser reparada com um maior sentimento de interdependência e responsabilidade globais. As pessoas de um país devem considerar as de outro como irmãos e irmãs que desejam progresso para suas terras natais.

Apesar dos melhores esforços dos líderes mundiais, as crises continuam aparecendo. Guerras matam pessoas inocentes; idosos e crianças continuam a morrer, indefinidamente. Muitos soldados que estão lutando não queriam estar ali por vontade própria. Esses soldados inocentes vivem em sofrimento, o que é muito triste. A venda de armas – milhares e milhares de tipos de armas e munição – por fabricantes dos grandes países alimenta a violência. Mais perigoso ainda que bombas e armas é o ódio, a falta de compaixão e a falta de respeito pelos direitos dos outros. Enquanto o ódio permanecer na mente humana, a paz verdadeira é impossível.

Devemos fazer tudo que podemos para acabar com a guerra e eliminar do mundo as armas nucleares. Quando visitei Hiroshima, onde a primeira bomba atômica foi lançada, quando vi a situação atual e ouvi histórias dos sobreviventes, meu coração minguou. Quantas pessoas morreram em fração de segundos! Como muitos mais ficaram feridos! Quanta dor e desespero a guerra nuclear cria! E veja ainda quanto dinheiro se gasta em armas de destruição em massa. É chocante, uma desgraça imensurável.

Os avanços da ciência e tecnologia têm beneficiado bastante a humanidade, mas não sem um preço. Enquanto, por exemplo, usufruímos do desenvolvimento de aviões a jato, que tornou possível viajar facilmente pelo mundo, também foram criadas armas tremendamente destrutivas. Não importa se as pessoas moram em lugares bonitos ou remotos, muitas pessoas vivem com medo permanente de uma ameaça bastante real: milhões sob a mira de milhões de armas nucleares. Mas o botão precisa ser apertado por alguém, ou seja, a intenção humana é a responsável, no final das contas.

A única maneira de se conseguir a paz é pela confiança, respeito, amor e bondade mútuos. É a única maneira. A tentativa dos poderes globais de dominar uns aos outros pela competição em armamentos – sejam eles nucleares, químicos, biológicos ou convencionais – é contraproducente. Como um mundo cheio de raiva e ódio pode chegar a uma paz verdadeira? A paz externa é impossível sem a paz interior. Procurar baseando-se em soluções externas é algo nobre, mas não pode levar ao sucesso se as pessoas têm ódio e raiva em suas mentes. É aí onde mudanças profundas devem começar. Individualmente, nós devemos trabalhar para mudar a perspectiva central de que nossos sentimentos dependem. Nós só podemos fazê-lo por meio do treinamento, por nos engajarmos em praticar com o objetivo de reorientar gradualmente a maneira pela qual percebemos a nós mesmos e aos outros.

O estado desesperador de nosso mundo nos chama para a ação. Cada um de nós tem a responsabilidade de tentar ajudar no nível mais profundo de nossa humanidade comum. Infelizmente, a humanidade é bastante sacrificada em defesa de ideologias. Isto é absolutamente errado. Sistemas políticos devem, na verdade, beneficiar seres humanos, mas, assim como o dinheiro, podem nos controlar em vez de trabalhar para nós. Com paciência e um coração afetuoso, podemos considerar a visão dos outros, trocar idéias em um debate tranqüilo e assim chegar a pontos em comum. É nossa responsabilidade – pelo amor e pela compaixão pela humanidade – procurar a harmonia entre nações, ideologias, culturas, grupos étnicos e sistemas políticos e econômicos. Quando nós realmente reconhecermos que a humanidade é uma só, nossa motivação para encontrar a paz crescerá com mais força. Em sentido profundo, somos irmãos e irmãs, portanto devemos dividir cada sofrimento dos outros. Respeito mútuo, confiança e consideração pelo bem-estar dos outros são nossa maior esperança por uma paz mundial duradoura.

É claro que os líderes dos países são especialmente responsáveis nesta área, mas cada indivíduo deve também ter a iniciativa, independentemente da crença religiosa. Basta ser humano, procurar mais felicidade e evitar o sofrimento, que você já é um cidadão do mundo. Todos somos responsáveis por criar um futuro melhor.

Para conseguir uma atitude amistosa, um coração afetuoso, respeito pelos direitos dos outros e consideração pelo bem-estar, você precisa treinar sua mente. Neste livro, apresento uma série de práticas da tradição tibetana que ajudarão a conseguir esses objetivos. O objetivo essencial da prática diária é cultivar a atitude de compaixão e a calma – um estado mental particularmente crucial na sociedade humana de hoje pelo poder de levar a verdadeira harmonia entre países, raças e pessoas de diversos sistemas religiosos, políticos e econômicos.

CRIANDO HARMONIA

A harmonia e a amizade de que precisamos em nossas famílias, países e no mundo podem ser alcançadas pela compaixão e benevolência. Ao ajudar os outros, com respeito e consideração, podemos resolver facilmente muitos problemas. A harmonia não se desenvolve em meio ao clima de desconfiança, trapaça, intimidação e competição materialista. O sucesso conquistado pela intimidação e violência é temporário, na melhor das hipóteses. Seus ganhos superficiais apenas criam novos problemas. É por isso que algumas décadas atrás, depois da enorme tragédia humana da Primeira Guerra Mundial, a Segunda Guerra Mundial eclodiu e milhões de pessoas morreram novamente. Se examinarmos nossa longa história de raiva e ódio, veremos que é necessário encontrar um caminho melhor. Podemos solucionar nossos problemas somente por meios verdadeiramente pacíficos – não apenas com a paz nas palavras, mas também na mente e no coração. Assim teremos um mundo melhor.

Isto é possível? Lutar, enganar e intimidar nos prende à situação atual. Agora precisamos treinar novas práticas para achar uma saída. Pode parecer impraticável e idealista, mas não temos alternativas à compaixão, ao reconhecimento do valor humano e à visão de que a humanidade é uma só. É o único meio de se conquistar uma felicidade duradoura.

Viajo de país a país com o sentimento de que somos um só. Treinei minha mente durante décadas. Então, quando encontro pessoas de diferentes culturas, não há barreiras entre nós. Estou convencido de que, apesar das diferentes culturas e sistemas políticos e econômicos, somos basicamente os mesmos. Quanto mais gente encontro, mais fortes são minhas convicções de que a humanidade é uma só, estabelecida em entendimento e respeito. É uma visão realista e viável para nossa conduta. É sobre isso que falo em cada lugar que vou. Acredito que a prática do amor e da compaixão – o sentimento genuíno de fraternidade – é a religião universal. Não importa se você é budista ou cristão, muçulmano ou hinduísta, ou mesmo se não pratica nenhuma religião. O que importa é o seu sentimento de que a humanidade é uma só.

Você concorda? Acha que não tem sentido? Não sou um Rei Divino, como alguns me chamam. Sou apenas um monge budista. O que estou dizendo vem de minha própria prática, que é limitada. Mas procuro colocar essas idéias em minha vida diária, especialmente quando enfrento problemas. É claro, eu erro às vezes. Às vezes fico irritado. Ocasionalmente uso palavras duras, mas quando ajo assim, imediatamente sinto dentro de mim um "oh, isto é errado". Eu sinto isto porque trouxe as práticas de compaixão e sabedoria para dentro de mim, e que constituem a parte principal desse livro. Essas práticas diárias são bastante úteis e muito valiosas em minha própria vida. Assim, sabendo que você e eu temos corações e mentes parecidos, eu divido essas práticas com você.

❖

Quando eu tinha apenas quinze anos, a China comunista invadiu o Tibete oriental e, após um ano, o governo tibetano decidiu que eu deveria conduzir os assuntos de Estado do país. Foi um período difícil em que assistimos nossas liberdades sendo suprimidas. Em 1959, fui forçado a fugir da capital na calada da noite. Durante o exílio na Índia, enfrentamos problemas diários que iam da necessidade de nos ajustarmos a um clima completamente diferente à necessidade de restabelecer nossas instituições culturais. Minha prática espiritual me deu uma visão que tornou possível continuar procurando por soluções sem perder a perspectiva de que todos somos humanos separados por idéias erradas e unidos por laços em comum, prontos para nos aperfeiçoarmos.

Isto me ensinou que compaixão, calma e discernimento são essenciais para o dia-a-dia e devem ser cultivados na prática diária. Os problemas sempre estão por vir, por isso é fundamental cultivar a atitude certa. A raiva reduz nosso poder de distinguir o certo do errado, e essa habilidade é uma das características mais importantes do ser humano. Se ela se perde, nós estamos perdidos. Algumas vezes é necessário responder energicamente, mas isso pode ser feito sem raiva. A raiva não é necessária. Ela não tem valor.

Eu chamo a compaixão de princípio global. Os seres humanos querem a felicidade e não querem o sofrimento. A paz mental é uma necessidade básica de toda a humanidade. Para políticos, engenheiros, cientistas, construtores, médicos, professores, advogados – para pessoas com todo o tipo de experiência –, a motivação saudável e compassiva é a base do crescimento espiritual.

VISÃO GERAL DO LIVRO

Nos capítulos seguintes, descrevo técnicas budistas específicas para obter a paz mental e uma grande capacidade de compaixão. Isto se dá através da estruturação do trabalho para se sobrepor ao que os budistas consideram concepções errôneas em relação a como os seres e coisas existem. Em termos budistas, é o caminho da iluminação. Mas cada um pode usar esses passos específicos da maneira que quiser para o autodesenvolvimento.

Dividi o livro em seis partes. Ele começa com *Os Princípios Básicos*, onde a história de Buda serve de guia para uma vida repleta de sentido. Introduzo os três aspectos da prática espiritual – moralidade, meditação concentrada e sabedoria – que são o tema central deste livro. Na segunda parte, *Praticando a Moralidade*, descrevo dois tipos de moralidade: reorientar atitudes físicas e verbais para não prejudicar os outros e cultivar profunda consideração pelos outros. Na parte três, *Praticando a Meditação Concentrada*, descrevo como focar a mente e manter a calma em situações estressantes. O livro segue, então, com *Praticando a Sabedoria*, que apresenta o tópico difícil, mas recompensador, da origem dependente e o vazio. Neste ponto, mergulhamos profundamente no pensamento budista ao considerar as diferenças entre a mente e sua natureza definitiva. Nesta quarta parte, espero esclarecer as noções erradas de que o budismo é uma filosofia niilista e pessimista, descrevendo a compatibilidade entre aparência e realidade.

As discussões sobre moralidade, meditação concentrada e sabedoria levam à quinta parte, *Tantra*, que apresenta uma prática específica de ioga que combina esses três estágios. Também analiso como o desejo pode ser usado no caminho espiritual por praticantes competentes.

A última parte, *Passos pelo Caminho*, apresenta uma visão geral do caminho da prática, desde o começo até a iluminação, um estado no qual mente e corpo estão plenamente desenvolvidos para servirem aos outros.

Do início ao fim, nosso objetivo é desenvolver um bom coração e uma boa mente pela atitude moral e pela compreensão da realidade, fortalecidas pela concentração. Pensar em moralidade, meditação concentrada e sabedoria como um mapa para a iluminação, nos faz lembrar do objetivo principal da prática – a transformação das atitudes em paz, compaixão, calma e sabedoria. Entender o mapa também é parte do caminho, orientando-nos para o destino. Espero que você possa utilizar alguns ensinamentos deste livro, mas se não for o caso, tudo bem!

I

PRINCÍPIOS BÁSICOS

1
Três Maneiras de Praticar

❖

A Iluminação do Buda como Modelo

De acordo com algumas escolas budistas, Buda Shakyamuni foi iluminado na Índia no século VI a. C., através da prática do caminho. Outros, entretanto, acreditam que Buda Shakyamuni atingira a iluminação muito antes, e que o renascimento do Buda no século VI a. C. foi apenas a demonstração do caminho. No Tibete – nós ficamos com a segunda interpretação – os discípulos aprendem com seu exemplo a prática para chegar à iluminação.

Em ambos os casos, notamos que:

- Buda Shakyamuni viveu uma vida cheia de prazeres, como príncipe de uma família real indiana. Aos vinte e nove anos, ao presenciar o sofrimento no mundo, abandonou sua condição real, raspou a cabeça, deixou a família e assumiu a *moralidade* própria de um monge, adotando um sistema de comportamento ético.

- Nos seis anos seguintes, ele praticou a meditação ascética para conseguir a *meditação concentrada*.
- Então, sob a árvore Bodhi em Bodh Gaya, ele empregou técnicas específicas para desenvolver *sabedoria*, e atingiu a iluminação. Após, deu ensinamentos durante quarenta e cinco anos e aos oitenta e um, faleceu.

Na história da vida do Buda, encontramos os três estágios da prática: primeiro a moralidade, depois a meditação concentrada e finalmente a sabedoria. E concluímos que percorrer o caminho leva tempo.

MUDANÇA GRADUAL

Desenvolver a mente depende de muitas causas e condições internas, assim como uma estação espacial depende do trabalho de gerações de cientistas que analisaram e testaram até as menores peças. Nem uma estação espacial ou uma mente iluminada são construídas em apenas um dia. Da mesma forma, as qualidades espirituais devem ser construídas por meio de diversas maneiras. Mas, ao contrário da estação espacial, que é construída por muitas pessoas trabalhando juntas, a mente deve ser desenvolvida somente por você. Não há como os outros trabalharem e você colher os frutos. Ler sobre como alguém conseguiu o progresso da mente não transfere os resultados para você. Você deve desenvolvê-la sozinho.

Cultivar uma atitude compassiva e desenvolver a sabedoria são processos lentos. À medida que internaliza as técnicas para desenvolver a moralidade, concentração da mente e sabedoria, os estados mentais descontrolados ficam cada vez menos e menos freqüentes. Você precisará praticar essas técnicas dia após dia, ano após ano. Enquanto transforma sua mente, estará também transformando tudo aquilo que o cerca. Os outros verão os benefícios de sua prática de amor e tolerância e trabalharão para trazê-los para suas próprias vidas.

As Três Práticas

Os ensinamentos do Buda se dividem em três coleções de escrituras:

- A disciplina da moralidade
- Os discursos sobre meditação concentrada
- O conhecimento manifesto que explica o treinamento para a sabedoria

Em cada uma das escrituras, a prática principal é descrita como um estado extraordinário, formado pela união da (1) "tranqüila absorção" (meditação concentrada) e (2) "compreensão especial" (sabedoria). Mas antes de realizar esta união, devemos estabelecer o fundamento de ambos: moralidade.

A SEQÜÊNCIA DA PRÁTICA

Moralidade, meditação concentrada e sabedoria – essa é a seqüência essencial da prática. As razões são as seguintes:

- Para a sabedoria da percepção especial desfazer as barreiras para a compreensão apropriada, e remover, até a raiz, os estados mentais inadequados, precisamos da meditação concentrada, um estado de unicidade em que todas as distrações internas foram removidas. De outra forma, a mente estará enfraquecida. Sem a meditação concentrada unidirecional, a sabedoria não tem força, assim como a chama de uma vela diante do vento não emite iluminação suficiente. Por isso, a meditação concentrada deve preceder a sabedoria.
- Praticar a meditação com unicidade envolve a remoção de distrações internas sutis, como a agitação e o embotamento. Para isso, precisamos primeiro evitar as distra-

ções externas, mediante o treinamento moral de manter a consciência plena e conscientização e de atos físicos e verbais – estando constantemente atento ao que você faz com seu corpo e suas palavras. Sem superar estas distrações óbvias, é impossível superar as distrações internas mais sutis.

Em minha própria experiência, fiz votos de um monge que é chamado para pouquíssimas atividades externas, o que significa que posso me concentrar mais em estudos espirituais. Votos de restrição a atividades físicas e verbais contraprodutivas me deram consciência de meu comportamento e me levaram a investigar o que acontecia em minha mente. Isto significa que mesmo quando não estou praticando objetivamente a meditação concentrada, tenho de controlar minha mente para evitar que se disperse. Assim, sou constantemente impelido na direção da meditação interna unidirecionada. O voto de moralidade certamente agiu como base.

Olhando estas três práticas – moralidade, meditação concentrada e sabedoria –, vemos que cada uma serve de base para a seguinte (esta ordem de práticas está claramente demonstrada na própria história do Buda). Portanto, todo o progresso espiritual depende do estabelecimento de uma moral apropriada.

II

PRATICANDO A MORALIDADE

2

Identificando o Campo do Sofrimento

❖

Visão Geral sobre os Tipos de Moralidade

O princípio mais importante da moralidade budista é ajudar os outros e, se isso não for possível, pelo menos não prejudicar ninguém. Este comprometimento fundamental com a não-violência, motivado pela consideração pelos outros, é central nos três tipos de moralidade no budismo:

- A moralidade da libertação individual (que é analisada neste capítulo) é praticada, principalmente, ao se evitarem ações físicas e verbais que prejudiquem os outros. Esta prática é chamada de "individual", porque fornece um meio para que as pessoas possam se mover para além da rotina repetitiva de nascimento, envelhecimento, doença e morte, que os budistas chamam de existência cíclica (ou *samsara*).
- A moralidade da consideração pelos outros – chamada a

moralidade dos Bodhisattvas (seres essencialmente preocupados em ajudar os outros) – é praticada, principalmente, ao não deixar a mente cair no egocentrismo. Para os praticantes da moralidade do Bodhisattva, o ponto essencial é evitar a auto-indulgência, mas também evitar as ações nocivas do corpo e das palavras.

- A moralidade do Tantra está centrada em técnicas específicas para imaginar um estado de desenvolvimento completo do corpo e da mente para ajudar os outros. Ela fornece um meio para evitar e, assim, transcender nossa percepção limitada de nossos corpos e mentes, de modo que possamos nos perceber irradiando sabedoria e compaixão.

MORALIDADE DA LIBERTAÇÃO INDIVIDUAL

Praticar a moralidade da libertação individual requer a atenção necessária em nós mesmos para evitar as ações físicas e verbais que prejudiquem os outros. Isto significa abandonar o que os budistas chamam de as dez ações não-virtuosas. Elas são organizadas em três categorias. As ações não-virtuosas físicas são matar, roubar e ter má conduta sexual; as não-virtuosas verbais são mentir, argumentar de maneira sectária, discutir asperamente e tagarelar sem sentido; as mentais são cobiça, intenção de prejudicar e opiniões erradas.

Como a motivação precede e direciona as ações, controlar a motivação é a melhor maneira de prevenir ações físicas e verbais impulsivas e possivelmente abusivas. Quando você repentinamente deseja alguma coisa e faz de tudo para consegui-la, sem medir as conseqüências, seu desejo se expressa impulsivamente, sem o benefício da reflexão. No dia-a-dia, você aprende a examinar continuamente sua motivação.

Quando eu era um garoto, Ling Rinpochay, então meu tutor júnior, sempre estava sério. Ele nunca sorria, nem sequer um pouquinho. Isto me deixava bastante preocupado. Ao imaginar por que ele era tão sem humor, eu analisava mais e mais o que eu fazia com minha própria mente. Isso me ajudou a desenvolver a atenção em mim mesmo em relação a minha motivação. Quando cheguei aos vinte e poucos anos e amadureci, Ling Rinpochay mudou completamente. Ele sempre ostentava um largo sorriso quando estávamos juntos.

A prática efetiva da moralidade da libertação individual depende da motivação segura e de longo prazo. Por exemplo, alguém pode querer ser um monge ou uma monja só para não precisar de um trabalho mundano para conseguir comida e roupas. Além disso, não é suficiente apenas procurar evitar as dificuldades *nesta vida*. Ser motivado por esses objetivos superficiais não ajuda a se libertar da existência cíclica – razão mais importante para praticar a moralidade da liberação individual.

Isto foi confirmado pela história do Buda. Um dia, Shakyamuni saiu dos muros do palácio para conhecer sozinho a vida. Pela primeira vez, ele viu uma pessoa doente, uma pessoa velha e um cadáver. Profundamente abalado pelo sofrimento causado pela doença, envelhecimento e morte, ele chegou à conclusão de que a vida no mundo é sem substância. Depois, inspirado por diversos praticantes religiosos, Buda ficou encantado pela possibilidade de uma vida espiritual mais elevada, repleta de sentido. Neste ponto, ele fugiu do palácio, deixando para trás sua vida rotineira para seguir aquele objetivo.

O que isto nos ensina? Assim como Buda, precisamos começar a considerar o sofrimento da existência cíclica, afastando as distrações temporárias. Influenciados por esta nova atitude, devemos adotar um sistema de moralidade para renunciar à existência cíclica e para tomar votos de um comportamento puro, procurando evitar as dez ações não-virtuosas.

AS QUATRO NOBRES VERDADES

Para nos libertarmos da existência cíclica, precisamos compreender sua natureza. Precisamos (1) saber quais são os tipos de sofrimentos envolvidos, (2) descobrir a causa desses sofrimentos, (3) ver como é possível remover estas causas e, então, (4) determinar o que deve ser praticado. A renúncia, portanto, significa pelo menos um entendimento parcial de quatro verdades nobres:

1. Verdade do sofrimento
2. Verdade da origem do sofrimento
3. Verdade da cessação do sofrimento e suas fontes
4. Verdade dos caminhos que realizam verdadeiras cessações

Quando o Buda começou a ensinar pela primeira vez, ele enviou as Quatro Nobres Verdades nesta ordem. Mas essa ordem não reflete como essas verdades começam a existir. Na seqüência temporal, a segunda verdade – a origem do sofrimento – precede a primeira verdade – o sofrimento propriamente dito. Da mesma forma, a quarta verdade – os caminhos da prática – deve preceder a realização da terceira – a cessação do sofrimento. Mas Buda ensinou as quatro verdades pela ordem da *prática*, não pela ordem em que elas são produzidas.

Na prática, primeiro você precisa identificar a extensão do sofrimento, para saber que parte da vida é prisioneira da infelicidade. Isto depende de seu desejo natural de não sofrer. Quando você o reconhece pelo que ele é, assim como fez Buda, então você se direciona para descobrir as causas, a origem do sofrimento. Assim como um médico precisa primeiro diagnosticar a doença, você precisa entender as raízes do sofrimento, antes de tratá-lo. Enquanto não tiver determinado a origem, você não perceberá que pode fazê-lo parar. Além disso, sem entender decisivamente que o fim do sofrimento é possível, você pode até considerar a prática deste caminho apenas um trabalho sem frutos. Você pode procurar os verdadeiros caminhos para encontrar o verdadeiro fim do sofrimento. Isto é o que o Buda mostrou nas Quatro Verdades apresentadas na ordem da prática.

Discutirei agora a primeira verdade e as outras três no Capítulo 3.

A Primeira Nobre Verdade: Sofrimento

O sofrimento é como uma doença que nós contraímos. Para achar a cura, precisamos identificar cuidadosamente a extensão da doença: dor, mudanças e condição difusa.

1. Um nível do sofrimento é a dor profunda que todos nós reconhecemos como tal. Até os animais querem superá-la. Os sofrimentos físicos e mentais da vida cotidiana, como dores de cabeça e a angústia da separação, se encontram nesta categoria.
2. O prazer que normalmente sentimos, em geral, é a diminuição do sofrimento. Se boa comida ou bebida, por exemplo, forem realmente prazerosas – se tiverem uma natureza interior de prazer –, então não importa o quanto comermos ou bebermos, nos sentiremos bem e igualmente felizes na mesma proporção. Mas se comermos e bebermos excessivamente, começaremos a sofrer em nossos corpos e mentes. Isto indica que essas sensações de prazer têm uma natureza interna de dor. Gosto de contar a história de uma família que comprou uma televisão nova. Comparada com a antiga, ela realmente é o máximo. Todos assistem à nova TV o tempo todo. Mas finalmente eles se cansaram dela. Isto indica que o prazer original tem uma natureza de sofrimento. Esses estados de felicidade temporária são chamados de sofrimento da mudança.
3. Além do sofrimento comum e do sofrimento da mudança, há um nível mais profundo de sofrimento chamado de condição difusa. A mente e o corpo trabalham sob a

influência do carma (tendências criadas por ações anteriores) e de emoções ruins ou contraprodutivas, como ódio e luxúria. Nascemos nesta vida a partir e sob a influência difusa do carma e das emoções ruins. Mesmo os estados neutros de sentimentos estão sob influência das causas e condições acima do nosso controle – você está preso a um processo suscetível de sofrimento.

A Condição Humana

No início de nossa vida está o nascimento, durante o qual sofremos, e no final da vida, a morte, quando sofremos novamente. Entre os dois, estão a doença e o envelhecimento. Não importa o quanto você seja rico ou tenha um corpo saudável, você sofrerá em ambas as circunstâncias.

Além disso, também há a insatisfação. Você deseja mais e mais e mais. Esta é, em certo sentido, a verdadeira pobreza – sempre estando com fome, fome, fome sem nenhum momento de satisfação. Outros podem não ser ricos, mas a satisfação lhes dá menos inquietações, menos inimigos, menos problemas e um sono tranqüilo. Em mais de uma ocasião, quando visitei casas muito bonitas em comunidades ricas, encontrei na caixa de medicamentos do banheiro vários remédios para dar energia de dia e outros para fazer dormir à noite. A satisfação pode fazer melhor ambas as coisas, pois reduz a ansiedade durante o dia, abrindo caminho para um sono tranqüilo à noite.

No ritmo frenético da vida moderna, perdemos de vista o valor real da humanidade. As pessoas se tornaram o resultado de tudo que produzem. Seres humanos agem como máquinas cuja função é ganhar dinheiro. Isto está absolutamente errado. O motivo para se ganhar dinheiro é a felicidade da humanidade, nada mais do que isso. O homem não existe para servir ao dinheiro, o dinheiro é que existe para servir ao homem. Precisamos do suficiente para viver, então o dinheiro é necessário. Mas também precisamos entender que se apegar demais ao dinheiro não ajuda, no fim das contas. Como os santos da Índia e do Tibete nos mostram, quanto mais rico alguém for, maior sofrimento terá de suportar.

Até os amigos podem trazer sofrimento. Normalmente achamos que os amigos nos trazem mais prazer e alegria, mas às vezes trazem mais problemas. Hoje seu amigo exibe um sorriso simpático, mas a conversa pode ficar desagradável e vocês começarem a brigar, sem nenhum sinal de amizade. Podemos receber alegria e satisfação de nossos amigos, mas não o tempo todo. Esta não é a felicidade verdadeira. No sentido profundo, a amizade comum também tem uma natureza de sofrimento.

Olhe para seu corpo. Não importa o quanto ele seja bonito ou atraente, se você derramar uma única gota de sangue, sua aparência não será tão boa. Abaixo da pele, está a carne. Olhando mais profundamente, você chega aos ossos. Esqueletos em museus e hospitais nos deixam desconfortáveis, mas todos somos os mesmos por dentro. Alguns podem ser mais gordos, outros magros, outros bonitos, mas se olho para todos com um raio X, vejo apenas uma sala cheia de esqueletos com a cavidade dos olhos. Esta é a natureza real de nosso corpo.

Considere o prazer da comida. Hoje tenho uma comida deliciosa. Quando vou comê-la, ela é linda, mas depois de passar pelo meu estômago e intestinos, muda para algo não tão bonito assim. Quando comemos, evitamos saber que é isto que ocorre, e temos prazer em pensar "nossa, é uma comida deliciosa, estou bastante satisfeito". Mas a comida bonita aos poucos passa pelo meu corpo e finalmente vai parar no banheiro, sob uma forma que ninguém chamaria de bonita. Isto que as pessoas sabem que é sujo na verdade é produzido dentro do corpo humano. De certa maneira, produzir excrementos é a principal função de nossos corpos!

Comer, trabalhar e ganhar dinheiro não tem sentido por si só. Mas até o menor ato de compaixão dá sentido e objetivo para nossas vidas.

PERSISTÊNCIA E ESPERANÇA

Analise. Pense, pense, pense. Quando você analisar e pensar, reconhecerá que nossa vida cotidiana é quase sempre sem sentido. Não desista. Não é uma decisão inteligente abandonar tudo agora. Nessas ocasiões em que se sente quase sem esperanças, você precisa fazer um esforço poderoso. Estamos tão acostumados a estados imperfeitos da mente que é difícil mudar apenas com pequenas práticas. Um pouco de açúcar não pode mudar o gosto do que é tremendamente amargo. Devemos persistir quando lutamos contra o fracasso.

Em situações pessoais difíceis, a melhor saída é tentar continuar a ser o mais honesto possível. De outra forma, respondendo de maneira áspera ou egoísta, você simplesmente faz as coisas piorarem. Isso fica bastante evidente em situações familiares dolorosas. Você deve entender que as situações difíceis são inteiramente resultantes de seus atos indisciplinados do passado. Quando você atravessa um período difícil, deve fazer o melhor para evitar comportamentos que tragam problemas no futuro.

É importante diminuir os estados indisciplinados da mente, mas é ainda mais importante enfrentar as adversidades com uma atitude positiva. Tenha em mente: ao encarar as dificuldades com otimismo e esperança, você já começou a superá-las. Além disso, imagine que você está tirando o peso das costas de todos que sofrem problemas desse tipo. Essa prática – imaginar que ao aceitar seu sofrimento, você estará suspendendo o carma negativo de todos que estiverem destinados a sofrer da mesma forma – é bastante útil. Às vezes, quando estou doente, pratico a transferência do sofrimento alheio para mim e dou aos outros meu potencial para felicidade. Isto me traz grande conforto mental.

Cada dia a cada manhã, e especialmente quando tenho tempo, pratico desta maneira para alcançar todos os seres vivos. Mas, em especial, destaco os líderes chineses e os oficiais que devem tomar as decisões sobre torturar ou matar os tibetanos. Eu os visualizo e trago para dentro mim sua ignorância, preconceito, raiva e orgulho. Consigo perceber estas sensações, por causa de meu próprio treino. Mesmo que eu, na realidade, absorva parte de suas atitudes negativas, elas não influenciam meu comportamento nem me tornam uma pessoa ruim. Portanto, absorver a negatividade deles não é problema para mim, mas reduz os problemas dos outros. Faço isso com um sentimento tão forte que se, mais tarde em meu trabalho, escuto sobre as atrocidades que eles cometeram, apesar de parte de minha mente ficar um pouco irritada e zangada, a maior parte continua ainda sobre influência da prática matinal. A intensidade da raiva é reduzida até o ponto em que fica insignificante.

Mesmo que esta meditação não ajude realmente aqueles oficiais, ela traz paz para minha mente. Então eu posso me sentir mais útil; o benefício é imenso.

❖

Sob nenhuma circunstância você deve perder a esperança. O desespero é a causa real do fracasso. Lembre-se de que pode superar qualquer problema. Fique calmo, mesmo quando o ambiente estiver confuso ou complicado. Ele terá pouco efeito sobre você, se sua mente estiver em paz. Por outro lado, se sua mente dá lugar à raiva, então mesmo quando o mundo estiver em paz e conforto, a paz de sua mente enganará você.

❖

RESUMO PARA A PRÁTICA DIÁRIA

1. Examine sua motivação o máximo que puder. Mesmo antes de levantar da cama pela manhã, estabeleça um

ponto de vista não-violento e não-abusivo para seu dia. De noite, avalie o que fez durante o dia.

2. Saiba quanto sofrimento existe em sua própria vida:

   - Há o sofrimento físico e mental da doença, envelhecimento e morte, que você naturalmente quer evitar.
   - Há experiências temporárias, como saborear uma boa comida, que parecem ser prazerosas por si mesmas, mas, se forem excessivas, se transformam em sofrimento. Este é o sofrimento da mudança. Quando uma situação mudar do prazer para a dor, lembre-se de que a natureza profunda do prazer original está sendo revelada. Apegar-se a estes prazeres superficiais causará apenas mais sofrimento.
   - Reflita sobre como você está preso à condição do processo difuso que, mais do que estar sob seu controle, está sob influência do carma e das emoções aflitivas.

3. Desenvolva gradualmente uma visão mais realística de seu corpo, considerando sua constituição – pele, sangue, carne, ossos e assim por diante.
4. Analise sua vida detalhadamente. Com isso, você verá que é difícil empregar mal sua vida, agindo como um robô ou ambicionando o dinheiro como o meio para a felicidade.

5. Adote uma atitude positiva em face das dificuldades. Imagine que, ao enfrentar uma situação difícil com compreensão, você estará também prevenindo as piores conseqüências dos carmas que você viveria no futuro. Traga para si o peso de todos os sofrimentos, do mesmo tipo, das outras pessoas.
6. Avalie, regularmente, os efeitos possivelmente negativos e positivos de sentimentos como luxúria, raiva, inveja e ódio.
   - Quando se tornar óbvio que os efeitos são muito nocivos, continue sua análise. Gradualmente, suas convicções se fortalecerão. A reflexão repetida nas desvantagens da raiva, por exemplo, fará você entender que a raiva não tem sentido.
   - Esta decisão diminuirá gradualmente sua raiva.

3

Descobrindo como os Problemas Começam e Terminam

A Segunda Nobre Verdade: Origens do Sofrimento

Depois de identificar a variedade do sofrimento, precisamos descobrir suas origens, que são duas: emoções aflitivas, ou contraprodutivas, e as contaminadas pelo carma.

Emoções Aflitivas

Como as emoções aflitivas contaminam os carmas, ou ações, elas serão discutidas primeiro. Há duas classes de emoções aflitivas – uma que pode ser mais bem expressa e outra que não. Um exemplo da primeira é o medo terrível do passado que se fixa na mente. Neste caso, é extremamente benéfico abrir seus sentimentos e discutir o incidente.

Quando tinha cerca de catorze anos, durante o verão no Palácio de Norbulingka, o Regente (que na época era meu tutor sênior) me repreendeu depois das aulas que ele ministrava anualmente. Com um comportamento agressivo, ele disse: "mesmo que sua compreensão seja igual à de Deus, seu comportamento deve ser o mesmo de um ser humano". Isto me machucou muito, porque achava que eu estava agindo como um aluno comum, prestando atenção ao que ele dizia, apesar de eu ser o Dalai Lama e estar acima dele na hierarquia. Fiquei irritado e permaneci constrangido durante os meses seguintes. Então, os comunistas chineses invadiram o Tibete oriental em 1950 e tive de fugir de Lhasa para Tromo, no sudoeste do país, perto da fronteira com a Índia. Depois, os oficiais em Lhasa me avisaram de que a situação havia melhorado e que eu deveria voltar. No caminho de volta para Lhasa, ficamos vários dias no monastério do Regente, Talungdra. Um dia ele perguntou, durante uma conversa casual, se eu havia ficado aborrecido por sua atitude. Mencionei o que acontecera, de maneira vaga, sem muitos detalhes. Que alívio isto me deu! Começou, a partir daí, uma estada agradável no monastério.

É mais fácil falar sobre coisas que ocorrem apenas uma vez do que sobre a outra classe de emoções contraprodutivas – que inclui sentimentos como luxúria, ódio, inimizade, inveja e hostilidade – que não podem ser expressas. Por isso, se tornam mais numerosas e freqüentes. Expressá-las só tende a deixá-las mais fortes e presentes. É melhor refletir sobre as desvantagens do que se prender a estas emoções e tentar afastá-las com sentimentos de amor e satisfação. Precisamos vencer totalmente as emoções negativas logo que apareçam, mas é melhor ainda achar maneiras de preveni-las em primeiro lugar.

Ódio e luxúria trazem outras emoções contraprodutivas e, a partir daí, criam um grande problema para todo o mundo. Não podemos nos contentar em viver com as conseqüências do ódio e da luxúria. Dos dois, o ódio é pior, do ponto de vista mais imediato, porque causa rapidamente sofrimento aos outros. Mas a luxúria é responsável por perpetuar o processo da existência cíclica – a rotina repetitiva de nascimento, envelhecimento, doença e morte – vida após vida.

Na raiz do ódio e da luxúria está a ignorância sobre a verdadeira natureza de todos os seres vivos, assim como a ignorância da natureza das coisas inanimadas. Esta ignorância não é apenas falta de conhecimento, mas a consideração do que é exatamente oposto à verdade, mau entendimento sobre o que realmente acontece. Há muitos níveis deste mau entendimento, como não saber o que fazer na prática cotidiana e o que descartar no comportamento diário. Mas, no momento, nós falamos sobre a ignorância que está na raiz de todo o sofrimento. Esta é a noção de que os seres sencientes e outros fenômenos existem inerentemente, em e por si mesmos. Discutirei esse tópico difícil mais tarde, nos Capítulos 8, 9 e 10.

Carmas Contaminados

Todo o prazer e dor dependem dos carmas, ou ações anteriores que criaram predisposições na mente. Os carmas podem ser divididos em virtuosos e não-virtuosos, dependendo se causam prazer ou dor a longo prazo. Por exemplo, se o efeito de uma ação é estabelecer uma nova vida humana, então a ação é virtuosa porque o efeito a longo prazo será de um bom renascimento. Se, por outro lado, o efeito de uma ação é causar um renascimento como fantasma faminto, a ação é não-virtuosa porque este efeito a longo prazo é um renascimento ruim.

Os carmas também podem ser divididos entre os que marcam as linhas gerais de uma nova vida, pela determinação do tipo de nascimento e o tempo de vida, e os que preenchem as etapas da vida como prosperidade e boa saúde, entre outros. O primeiro tipo é chamado de "caminho da ação", porque esta ação (virtuosa ou não) serve de caminho, ou meio, para completar a vida em um renascimento feliz ou ruim. Para ser um "caminho de ação", um carma deve ter quatro características: intenção motivadora; identificação correta da pessoa ou do objeto; preparação adequada e sucesso no resultado. Às vezes, todos esses fatores ocorrem, como no caso em que você pretende dar uma esmola a um mendigo e acaba fazendo. Às vezes, apenas a motivação está presente, quando você quer mas não dá a esmola. Ou o resultado acontece sem a intenção, como se o dinheiro caísse de seu bolso e o mendigo o recolhesse na calçada. Ações que não apresentam as quatro características são incluídas na segunda categoria de carmas, que preenchem os detalhes de uma vida.

Finalmente, os carmas podem ser divididos entre os executados por grupos, como organizações de caridade, e os individuais. Os efeitos dos carmas podem aparecer na mesma vida, na próxima ou na seguinte. Carmas fortes, virtuosos ou não, com motivações poderosas para ajudar ou prejudicar podem apresentar seus efeitos durante a mesma vida.

O Processo da Morte

Para entender os tipos de carma e as características específicas dos níveis mais altos da prática, precisamos compreender a dinâmica dos três estágios: o processo da morte; o estado intermediário entre a vida e o estado seguinte; e o processo de renascimento fora de nosso estado intermediário. A transmissão dos carmas de uma vida para outra ocorre durante a morte, por intermédio de uma mente bastante sutil de clara luz. Ainda que este nível mais profundo da mente exista durante a vida, ele se manifesta na morte, e daqui para a frente será tratado quase sempre neste contexto.

Você pode ler mais sobre esse tema em muitos textos da Alta Ioga Tântrica, ensinados por Buda, como o *Tantra de Guhyasamaja* [*Guhyasamaja Tantra*]. Estas escrituras descrevem as várias categorias de mente ou consciência, das mais grosseiras às sutis. Os estados sutis da mente são mais poderosos e efetivos quando aplicados na prática espiritual. O nível mais grosseiro da consciência percebe as coisas pelos olhos, ouvidos, nariz, língua e corpo. Quanto mais sutil for a consciência mental, que vai dos níveis grosseiros, como o pensamento comum, o sono profundo e o desmaio quando a respiração pára, até o mais sutil estado de clara luz. A não ser em estados extraordinários de meditação, a consciência mais sutil, ou profunda, se manifesta quando estamos morrendo (os níveis mais sutis de consciência também aparecem, de maneira resumida, quando começamos a dormir, terminamos um sonho, espirramos, bocejamos e durante o orgasmo. Discutirei o último no Capítulo 11).

O processo da morte envolve a cessação, ou dissolução, de uma série de quatro elementos internos: terra (as substâncias sólidas do corpo), água (os fluidos), fogo (o calor) e vento (a energia, o movimento). No dia-a-dia, esses elementos servem de base para a consciência, mas durante o processo da morte, a capacidade deles de sustentar a consciência diminui, começando com o elemento terra. Cada etapa da dissolução, na verdade, aumenta a capacidade do elemento seguinte sustentar a consciência. Passo a passo, é mais ou menos assim:

1. Quando o elemento terra, ou as substâncias sólidas de seu corpo, se dissolvem no elemento água, a prova externa é o adelgaçamento de seu corpo; internamente, você vê o que parece ser uma miragem em um deserto.
2. Quando o elemento água de seu corpo se dissolve no elemento fogo, a indicação externa são os fluidos de seu corpo secando – sua boca seca, seu nariz enruga e assim por diante; internamente, você vê o que foi descrito como rolos de fumaça saindo de uma chaminé ou flutuando em um aposento.
3. Quando o elemento fogo de seu corpo se dissolve no vento, ou elemento ar, a indicação externa é a diminuição do calor do corpo; internamente, você vê o que

parecem ser vaga-lumes na noite ou centelhas espalhadas. O calor sai do corpo de diferentes maneiras – dos pés até o coração ou do topo da cabeça para baixo. O primeiro é preferível porque indica que a mente sairá do corpo por cima ou para a frente, não para baixo, e isso leva, na maioria das vezes, a uma próxima vida favorável. Isso ocorre devido a um carma virtuoso.

4. Finalmente, o vento, ou o movimento de energia em seu corpo, se dissolve na consciência, e sua respiração externa cessa; neste momento, você tem uma visão como a luz acima da chama de uma vela que tremula antes de apagar. (Alguns médicos consideram que a pessoa neste estado está morta, mas para o ponto de vista budista, o mero cessar da respiração exterior não significa que a consciência tenha deixado o corpo.) A luz tremulante é seguida pelo aparecimento de uma chama constante.

As quatro fases finais da morte envolvem a dissolução de níveis grosseiros da consciência em níveis mais sutis. Isto ocorre quando os ventos, ou energias internas, que servem de apoio para a consciência, se dissolvem. Imagine como se a consciência fosse um cavaleiro e a energia, sua montaria. Na preparação para a próxima fase, a energia que serve de montaria para vários tipos de consciência conceituais se dissolve, mudando a base da consciência de níveis de energia grosseiros para sutis. Isto naturalmente ocorre em quatro fases:

5. Sua mente se transforma em uma imensidão branca, vasta, onipresente e vívida. Ela é descrita como um céu claro com a luz da lua – não a lua brilhando no espaço vazio, mas este espaço preenchido com luz branca. O pensamento conceitual desapareceu, e nada aparece a não ser esta brancura luminosa, que é sua consciência. Mas um sentido sutil de sujeito e objeto permanece, então o estado é ligeiramente dualístico.
6. Sua mente se altera para uma imensidão vermelha ou laranja, mais luminosa do que antes; nada mais aparece. É como um céu claro com a luz do sol – não o sol brilhando no céu, mas o espaço preenchido com a luz vermelha ou laranja. Este estado mental é ainda menos dualístico.
7. Sua mente se transforma em um estado ainda mais sutil, vividamente negro; nada mais aparece. Isto é chamado de "quase-consecução" porque você está próximo da manifestação da mente da clara luz. A mente da imensidão negra é como um céu sem lua, muito escu-

ro, logo depois do anoitecer, quando as estrelas ainda não são vistas. No início desta fase você está consciente, mas vai deixando de estar à medida que penetra em uma escuridão ainda maior.

8. Quando a mente de aparência negra cessa, ela se transforma na mente totalmente consciente da clara luz. Chamada de mente inata fundamental da clara luz, este é o nível de consciência mais sutil, profundo e poderoso. É como o estado natural do céu na aurora (antes do nascer do sol) – sem a luz da lua, do sol e sem a escuridão.

A passagem para a mente da clara luz pode ser rápida ou demorada. Algumas pessoas permanecem no estágio final, a mente de clara luz da morte, por apenas alguns minutos. Outros ficam até uma semana ou duas. Como a mente de clara luz é muito poderosa, é bom praticá-la. Muitos praticantes no Tibete passam, diariamente, por esses estágios de falecimento. Eu mesmo os pratico seis vezes ao dia, imaginando, um a um, os oito níveis da mente (sem, é claro, as mudanças físicas dos primeiros quatro estágios). Os oito níveis da mente são:

1. Miragem
2. Fumaça

3. Centelhas
4. Chama da vela
5. Mente do céu branco luminoso
6. Mente do céu vermelho ou laranja luminoso
7. Mente do céu negro luminoso
8. Clara luz

No processo de falecimento, sabemos quando alguém ainda está na clara luz enquanto o corpo não começa a cheirar mal ou apodrecer. Há tibetanos que foram torturados e, quando voltaram para a cela da prisão, sentaram de pernas cruzadas em processo de falecimento, sustentando a mente de clara luz. Como foi relatado, os guardas chineses comunistas da prisão ficaram assustados com isso. Do ponto de vista de seu próprio dogmatismo, eles olhavam os budistas como cegos pela fé, e quando se defrontavam com um acontecimento destes, tentavam não falar nada sobre o assunto. Na Índia, também, um grande número de praticantes tem ficado neste estado, às vezes por alguns dias – e uma pessoa conseguiu ficar dezessete dias. Quando uma pessoa está permanentemente no estado de clara luz, se a energia que suporta este nível profundo da mente começar a flutuar, a consciência, neste ponto, finalmente deixa o corpo, e o corpo ou a cabeça muda de posição ligeiramente.

Há muitas oportunidades para novas investigações sobre os vários estágios da morte. A ciência moderna tem feito muitas descobertas sobre ondas de energia, o cérebro humano e suas funções. Cientistas e budistas dividem um interesse comum nesta área, e acredito que devemos trabalhar juntos para investigar a relação entre a mente e suas energias internas, e sobre o cérebro e a consciência. As explicações budistas podem contribuir para a pesquisa científica e vice-versa. Este tipo de cooperação está atualmente em processo, e será de grande valia.

Estado Intermediário

Todos os seres que devem renascer como humanos passam por um estado intermediário entre esta vida e a próxima. No estado intermediário, seu corpo fica com uma forma que lembra seu corpo na próxima vida com cinco ou seis anos (embora se diga que não é necessariamente assim). Quando a vida intermediária termina, é porque já se cruzou a ponte para a próxima vida. Este processo é dirigido pelo nível mais sutil da mente.

O Processo de Renascimento

Para o renascimento, a consciência entra no útero quando os elementos fertilizantes masculino e feminino se misturam – levando-se em conta que não haja nada de errado com o útero ou com o esperma, e que estejam presentes os fatores favoráveis como a conexão cármica. Mas a consciência não precisa entrar necessariamente no momento em que homem e mulher estão em união – em nossos textos, há relatos do sêmen do pai ser introduzido na vagina separadamente do ato sexual. Parece que mesmo se esses elementos se juntem dentro ou, como em alguns casos contemporâneos, fora do útero "in vitro", a consciência deve entrar durante a mistura. Ainda assim é difícil chegar a uma explicação definitiva com base nos textos budistas, pois alguns livros dizem que a fertilização ocorre quando homem e mulher estão no ponto de desejo extremo.

Este assunto complexo fica mais complicado ainda nos dias de hoje. Considere quando um embrião é congelado. Uma vez que foi feita a conexão entre a vida passada e a nova pela fertilização, será que este embrião está sofrendo de frio? O início da formação do corpo já foi estabelecido. Portanto, de acordo com nossas explicações, já foram formados primitivamente os órgãos sensoriais (apesar de os órgãos da visão e outros não terem se formado ainda). Existe alguma sensação física no momento seguinte à fertilização? Não cheguei a nenhuma conclusão nesses tópicos, que ainda rendem muita discussão.

Se assumirmos que o embrião sofre com o frio, é o caso de se questionar se a pessoa que congela o embrião acumula carma ruim por esta ação. Isto também depende da motivação da pessoa. Não podemos dizer que só porque outro ser está sofrendo por causa de alguma coisa relacionada a você, que você acumule carma ruim. Por exemplo, mesmo em circunstâncias normais um feto sofre só por estar no útero materno, mas a mãe não acumula nenhum carma ruim. Da mesma forma, quando uma criança nasce, ela sofre novamente, mas a mãe não acumula nenhum carma ruim. (Se fosse assim, uma mãe com muitos filhos teria acumulado uma grande quantidade de carma ruim, o que é absurdo!) Assim, a motivação de uma pessoa é a chave para determinar qual o tipo de carma que é acumulado.

A Terceira Nobre Verdade: Verdadeira Cessação

Como as impurezas da mente como luxúria, ódio, inveja e ira são baseadas em fundamentos equivocados sobre a natureza de pessoas e objetos, o processo de superá-las requer a solução desta ignorância. A questão é como exterminar a ignorância que é a causa do sofrimento. Ela não pode ser arrancada como um espinho ou removida por meio de cirurgia. Para cessar esta concepção errônea da natureza das pessoas e coisas, você precisa entender sua verdadeira natureza. Então, pela meditação contínua, você se acostuma à verdade e ao poder crescente da sabedoria de como minar as emoções negativas enraizadas na ignorância.

Neste ponto, uma explicação sobre o vazio pode ser útil pois mostra o que a sabedoria esclarece sobre a natureza das pessoas e coisas (ver os Capítulos de 8 a 10). Mas, em resumo, o fato de as impurezas como as emoções aflitivas poderem ser extinguidas totalmente decorre do fato de a mente não ser naturalmente impura. Em essência, ela é pura. As impurezas são purificadas pela meditação sobre a verdadeira natureza tanto da mente quanto sobre todas as outras coisas. Extinguir essas impurezas é a terceira nobre verdade da cessação – um estado entre o sofrimento e suas origens.

A QUARTA NOBRE VERDADE: VERDADEIROS CAMINHOS

Os verdadeiros caminhos se referem às três maneiras de treinar os principais tópicos deste livro – moralidade, meditação concentrada e sabedoria. A prática espiritual através desses caminhos leva para as verdadeiras cessações, culminando no nirvana e, eventualmente, no estado de Buda.

❖

Desde o tempo sem começo, nós desenvolvemos uma percepção, ou consciência, do "eu". Esse "eu", ou *self*, inata e naturalmente deseja a felicidade e evita o sofrimento. Esse desejo é válido, é verdadeiro e razoável. Conseqüentemente, todos nós temos o direito de buscar a felicidade e banir o sofrimento. O fato é que o sofrimento e a felicidade mudam de momento a momento. Isto indica que estas experiências dependem de causas e condições. Para nos livrarmos do sofrimento, precisamos eliminar as causas e condições do sofrimento, e para alcançar a felicidade, precisamos adquirir as causas e condições da felicidade.

As primeiras duas nobres verdades se aplicam aos fenômenos impuros dos quais queremos nos livrar – sofrimentos reais, que são efeitos, e fontes verdadeiras, que são as causas. As duas últimas nobres verdades são estados puros que desejamos alcançar – cessações verdadeiras, que são os efeitos, e caminhos verdadeiros, que são as causas. O modo pelo qual o Buda ensinou as Quatro Nobres

Verdades contém duas seqüências – uma do sofrimento, que procuramos abandonar, e outra da felicidade, que procuramos adotar.

❖

RESUMO PARA A PRÁTICA DIÁRIA

Tendo reconhecido a diversidade do sofrimento, pesquisar suas origens, ou fontes, e identificar que a fonte de sofrimento é a ignorância sobre a verdadeira natureza das pessoas e das coisas, que resultam em luxúria, ódio e assemelhados. Compreenda que o sofrimento pode ser removido, ele pode ser extinto da esfera da realidade. Reflita que esta verdadeira cessação é alcançada com a prática da moralidade, meditação concentrada e sabedoria – os caminhos verdadeiros.

4
Evitando o Mal

❖

Os budistas fazem voto de moralidade no contexto da primeira tomada de refúgio – no Buda, nos estados de realização e na comunidade espiritual. Refúgio é a base para a prática da moralidade. O Buda nos ensinou como encontrar refúgio a partir do sofrimento e da limitação, mas o refúgio principal, ou fonte de proteção, é encontrado nos estados de realização obtidos pela prática da moralidade, meditação concentrada e sabedoria.

As escrituras budistas recomendam que você oculte suas boas qualidades e realizações, como uma lâmpada dentro de um abajur. Você não deve revelá-los a não ser que haja um bom motivo para isso. É considerada uma infração pequena de um voto monástico se ele ou ela chegou ao estado de liberação e anuncia para outra pessoa: "Consegui chegar à libertação." Sendo este o caso, é difícil determinar qual o estágio da experiência interior que outra pessoa atingiu. Tive a oportunidade de encontrar diversas pessoas que chegaram a um desenvolvimento espiritual extraordinário. No meu monastério Namgyel havia um monge que não tinha estudado muito. Ele saiu do Tibete para a Índia por volta de 1980. Como já nos conhecíamos, ficamos um dia conversando. Ele me contou que enquanto estava em um campo de trabalhos forçados da China comunista, por quase dezoito anos, enfrentou o perigo em várias ocasiões. Pensei que ele se referia a ameaças à própria vida. Mas quando perguntei, "Que perigo?", ele respondeu: "Perder a compaixão para com os chineses." Ele considerava isto como sendo o perigo! Muitos de nós nos sentimos orgulhosos de contar aos outros sobre como ficamos raivosos, como se fôssemos uma espécie de heróis.

Eu era muito próximo a um lama da tradição Drukpa Kagyu. Nós nos encontrávamos freqüentemente e muitas vezes brincávamos e implicávamos um com o outro. Em determinada ocasião, perguntei a ele sobre sua experiência espiritual. Ele me contou que, quando era jovem, seu lama o fez executar cem mil vezes a prática preliminar de prostrar-se para o Buda, a doutrina e a comunidade espiritual. Logo de manhã e no fim da tarde, ele devia prostrar-se em uma plataforma do comprimento de seu corpo. Seu lama ficava meditando no escuro em uma sala ao lado. Então, para fingir para ele que estava se prostrando, ele batia com os nós dos dedos na plataforma. Anos depois, quando o lama já havia falecido, ele estava meditando em um retiro em uma caverna, quando se lembrou da grande bondade de seu lama ao treiná-lo durante anos. Então, chorou e chorou. Ele quase desmaiou, mas então experimentou a clara luz, que ele praticava continuamente. Em seguida, depois de meditações sucessivas, ocasionalmente lembrava-se de vidas passadas através de imagens nítidas que apareciam diante dele.

Essas histórias que eu mesmo escutei me inspiraram. Definitivamente, há praticantes se movendo em direção ao estado de Buda. Encontrar essas pessoas aumenta nossa inspiração e determinação, e por seu intermédio os ensinamentos permanecem vivos. Dessa forma, a comunidade espiritual apresenta modelos para praticantes tomarem como referência, o que pode nos ajudar a nos refugiarmos.

Esses três – o Buda, os estados de realização e as doutrinas que eles ensinam, e a comunidade espiritual – são fatores externos a você que têm grande capacidade de cessar o sofrimento quando se apresentam a você. Mas um budista não os utiliza para garantir a felicidade. Em vez disso, a felicidade chega ao se colocar a doutrina em prática. O Buda ensina o refúgio atual – como praticar a doutrina –, mas a responsabilidade principal fica na implementação que você faz. Para criar a base para um estado espiritual sem sofrimento e limitações, precisamos nos comprometer com as seguintes práticas:

1. Identificar as dez ações não-virtuosas (ver pág. 38).
2. Identificar as dez ações virtuosas (que são o oposto das anteriores).
3. Abandonar as primeiras e adotar as últimas.

NÍVEIS DE PRÁTICA DA MORALIDADE DA LIBERTAÇÃO INDIVIDUAL

Como as pessoas variam em relação a sua habilidade de manter certos votos, o Buda descreveu diversos níveis de prática moral. Em relação à moralidade da libertação individual, há:

- Aqueles que vivem uma vida doméstica, em casa, em vez de estarem em um monastério
- Aqueles que deixaram a vida doméstica para serem monges ou monjas

Se você é capaz de manter a castidade por toda a vida, você pode deixar sua casa e fazer votos monásticos. Se você não puder manter a castidade, mas puder cumprir votos, você pode fazer votos de leigos que durem a vida inteira, ou outros que durem por apenas um dia.

Benefícios da Moralidade

Encontramos muitos pontos em comum entre a vida monástica de todas as religiões – simplicidade, devoção por meio das orações ou meditação, e servir aos outros. O clero cristão é especialmente dedicado em servir nos campos da educação, saúde e bem-estar, e os monges budistas têm muito o que aprender com essas tradições cristãs.

A prática da moralidade da libertação individual, seja leiga ou monástica, leva a um contentamento. Por exemplo, os monges fazem uma dieta restrita – um pequeno café da manhã, almoço e nada além disso. Eles não têm direito a pedir "quero esta comida ou aquela". Qualquer coisa que lhes é oferecida na ronda diária como dependentes da caridade alheia deve ser aceita. Por isso, os monásticos budistas não são necessariamente vegetarianos. O que eles ganharem, eles comerão. Este é o treinamento do *contentamento em relação à comida*. Isto reduz a ansiedade para ter este ou aquele tipo de comida. Leigos podem copiar esta prática ao não insistirem em comidas especiais.

Mesmo que seja rico, você na verdade não pode consumir muito mais do que os pobres, para seu próprio bem. Ricos e pobres têm o estômago do mesmo tamanho.

Em relação às roupas, monges e monjas estão limitados apenas a um conjunto de hábitos. Para ter mais do que isso, é necessário o favor de outro monge, levando em conta que o hábito extra pertence a outra pessoa. Não podemos vestir roupas caras. Antes da invasão da China comunista, monges e monjas vestiam roupas luxuosas, que representavam corrupção e trapaça. (De certa maneira, os comunistas chineses foram bons para nós ao destruírem essas corrupções!) Esta limitação na vestimenta é a prática do *contentamento em relação às roupas*. Leigos podem adotar uma prática similar exercendo a moderação ao se vestir. O mesmo vale para enfeites. Usar mais de um anel em cada dedo certamente é muito! É um erro pensar que há valor em gastar mais com comida, roupas e enfeites apenas porque se tem mais dinheiro. É melhor usar o dinheiro para dar saúde e educação para os pobres. Isto não é um socialismo forçado, mas uma compaixão voluntária.

Também é essencial para os monásticos se satisfazer com habitação adequada. Uma casa primorosa não é permitida. Isto é chamado de *contentamento em relação à habitação*. Leigos podem adaptar esta prática ao reduzir a procura incessante por melhor residência, móveis e decoração.

Examine suas atitudes em relação à comida, roupas e habitação. Reduzindo as expectativas, você terá maior contentamento. A energia extra que era desprendida, deve ser utilizada na meditação e na solução de problemas, correspondendo à terceira e quarta nobres verdades. Dessa forma, a satisfação é a base, e a ação resultante é chamada de *opção pela meditação e renúncia*.

Devemos nos contentar nas áreas materiais, pois elas são limitadas, mas o mesmo não se aplica à espiritualidade, que pode ser estendida infinitamente. Levando-se em conta que uma pessoa descontente que possua a Terra inteira possa querer um centro turístico na Lua, a vida dessa pessoa é limitada. E mesmo a quantidade do que se pode possuir é limitada. É melhor acostumar-se cedo para estar sempre satisfeito. Mas em relação à compaixão e ao altruísmo, não há limites. Não devemos ficar satisfeitos com o que temos. Somos justamente o oposto: no campo espiritual, ficamos contentes com pouca quantidade de prática e progresso, mas materialmente sempre queremos mais e mais. Deveria ser o contrário. Todos precisam de práticas, sejam leigos ou monges.

Praticar a moralidade da libertação individual também ajuda a aumentar a conscientização e a introspecção. Se um monástico está prestes a cometer determinados atos, mesmo em sonho, ele se lembra: "Sou um monge (ou monja), não posso agir desta maneira." A conscientização vem da percepção altamente desenvolvida de suas ações físicas e verbais, que se estendem até os sonhos. Se você estiver concentrado nas suas ações quando estiver comendo, andando, sentando e levantando, entre outras coisas, desenvolverá uma qualidade sólida de consciência plena.

A prática da moralidade da libertação individual também fortalece a tolerância e a paciência. O Buda disse que a paciência é a mais alta forma de ascese, e por intermédio dela se pode chegar ao nirvana. Para monges e monjas, há quatro tipos de paciência e tolerância para se obter:

- Se alguém o ataca, você deve ser tolerante e paciente
- Se alguém demonstra ter raiva de você, você não deve responder com raiva
- Se alguém o machuca, você não deve revidar
- Se alguém o ofende ou insulta, você não deve responder

Essas práticas aumentam a paciência. A pessoa que deixou a vida leiga, mas machucou alguém, não teve a atitude certa. Há casos de monges no Tibete que chegaram até a ir para a guerra! Eles foram para o campo de batalha, apesar dos ensinamentos repetidos do Buda de que machucar outra pessoa não é virtuoso para um monge ou uma monja.

A prática espiritual não se refere a coisas externas – comida, roupas ou algo do gênero. A prática espiritual ocorre em nossos corações e mentes. "A verdadeira mudança é interior; deixe o que é externo como está." Se suas atitudes refletirem verdadeiramente um aperfeiçoamento da mente e do coração, está ótimo. Mas se você estiver apenas fazendo um show de seu desenvolvimento espiritual, por exemplo, para ganhar dinheiro, é hipocrisia.

Praticar o budismo significa transformar sua atitude. Práticas monásticas podem ser incorporadas à vida laica por meio de um desejo forte e consciente de evitar causar mal aos outros, física ou verbalmente. Isso requer paciência para agüentar ataques físicos e mentais.

Uma melhoria gradual é mais realista do que tentar dar um passo maior do que as pernas. De outra forma, há grande risco e perigo. Com o tempo, contribua para a sociedade e pratique os ensinamentos. Quando você chegar a um certo estado de experiência, pode praticar com maior intensidade se entrar para o monastério. Essas práticas são conquistadas passo a passo.

Usualmente, meu conselho para os iniciantes é serem pacientes. Devem ter expectativas reduzidas em si próprio.

O mais importante é ser um cidadão honesto, um bom membro da comunidade humana, onde quer que você esteja. É importante ser sempre uma boa pessoa, entendendo ou não idéias profundas. Você não deve negligenciar um grande objetivo em favor de um menor. Considere tanto o presente quanto o futuro, da mesma maneira que os ganhos econômicos temporários devem ser considerados em relação às necessidades ambientais de longo prazo.

❖

Gosto de dizer que a essência dos ensinamentos do Buda pode ser encontrada em duas frases:

> Se possível, você deve ajudar os outros.
> Se isso não for possível, pelo menos não
> os prejudique.

Evitar prejudicar os outros é a essência do estágio inicial de viver os ensinamentos da moralidade.

RESUMO PARA A PRÁTICA DIÁRIA

1. Preste atenção na sua relação com roupas, comida e moradia, e adapte as práticas monásticas do contentamento para a vida laica. Esteja satisfeito com comida, roupas e moradia adequadas. Use o tempo livre para meditação, pois assim você consegue superar uma quantidade maior de problemas.
2. Desenvolva um forte desejo de evitar prejudicar os outros, seja física ou verbalmente, não importa o quanto você seja ofendido, insultado, injuriado, atacado ou atingido.

5
Aumentando a Ajuda

❖

Tendo como base a prática de não prejudicar os outros, você pode agora cultivar a consideração por eles. Primeiro, por meio da moralidade da libertação individual, aprendemos a controlar a raiva e sentimentos semelhantes. Agora, podemos começar a aprender como confortar e servir aos outros. As práticas descritas entre os Capítulos 2 e 4 – abandonar as dez ações não-virtuosas, identificar a origem e o processo de sofrimento e o meio de superá-lo para alcançar as Quatro Nobres Verdades, e o abandono monástico dos prazeres transitórios da vida laica – criaram uma base para o segundo estágio, que chamamos de moralidade do Grande Veículo. Agora, você não apenas não prejudica os outros, mas também tem maior responsabilidade em ajudá-los. Não prejudicar é uma prática defensiva. Agir para ajudar os outros é proativo.

O Buda ensinou os três estágios da moralidade: a moralidade da libertação individual, a moralidade da consideração pelos outros e a moralidade do Tantra. Ajudar os outros é o ensinamento do Grande Veículo, o coração do segundo estágio, ou moralidade do Bodhisattva. É também o foco deste capítulo.

O Valor das Circunstâncias Difíceis

Como você pode cultivar esta atitude de consideração pelos outros? A melhor maneira é entender a importância relativa que os outros têm para você. Uma prática levada da Índia para o Tibete implica, primeiramente, encontrar uma base em comum com os outros (equalização) e, então, deixar de ser autocentrado para se centrar nos outros. O estudioso iogue indiano Shantideva explicou esta prática de equalização e mudança do eu para o outro através do seu *Guia para o modo de vida do Bodhisattva* [*A Guide to the Bodhisattva Way of Life*]. Muitos tibetanos escreveram comentários sobre esse texto.

A verdadeira compaixão se estende para cada um e para todos os seres sencientes, não apenas para amigos, família, ou aqueles em má situação. Para desenvolver a prática da compaixão até o estágio mais completo, as pessoas devem praticar a paciência. Shantideva nos diz que, se a prática da paciência entra em sua mente e a transforma, você começará a ver seus inimigos como seus melhores amigos. Até mesmo como guias espirituais.

Os inimigos nos oferecem as melhores oportunidades de praticar a paciência, tolerância e compaixão. Shantideva nos mostra exemplos magníficos em forma de diálogos entre os aspectos positivo e negativo da mente de uma pessoa. Suas reflexões sobre compaixão e paciência foram bastante úteis em minha própria prática. Leia-as e toda a sua alma poderá ser transformada. Veja um exemplo:

> Para um praticante do amor e da compaixão, um inimigo é um dos professores mais importantes. Sem um inimigo, você não poderá praticar a tolerância. E sem tolerância você não poderá construir uma base sólida de compaixão. Então, para praticar a compaixão, você *precisa* ter um inimigo.
>
> Quando você se depara com um inimigo que irá feri-lo, é o momento certo para praticar a tolerância. Por isso, um inimigo é a causa da prática da tolerância; tolerância é o efeito ou resultado de um inimigo. Então, essas são as causas e efeitos. Como se diz, "Quando alguma coisa se relaciona com o surgimento de outra, não se pode considerar a primeira como ruim; mais ainda, ela é importante na produção do efeito".

Refletir sobre esse tipo de raciocínio pode ajudar a desenvolver uma paciência enorme, que, por sua vez, desenvolve uma compaixão poderosa. A compaixão real está baseada na razão. A compaixão comum ou amor é limitada pelo desejo ou pela união.

Se sua vida é tranqüila e tudo vai bem, você pode ficar no faz-de-conta. Mas quando você enfrenta situações realmente desesperadoras, não é hora para fantasias. Você tem de lidar com a realidade. Tempos difíceis geram determinação e força interior. Por causa deles, também podemos aprender que a raiva é inútil. Em vez de ficar com ódio, cultive respeito e consideração profundos por quem está causando os problemas, porque ao criá-los eles nos dão oportunidades valiosíssimas para praticar a tolerância e a paciência.

Minha vida não tem sido sempre feliz. Tive de enfrentar muitos momentos difíceis, incluindo a perda do meu país para os invasores da China comunista e tendo de restabelecer nossa cultura em países vizinhos. Ainda assim, encaro estes períodos difíceis como alguns dos mais importantes em minha vida. Por meio deles, adquiri muita experiência e tive muitas idéias novas. Esses períodos me tornaram mais realista. Quando eu era jovem e vivia bem no alto da cidade de Lhasa, no Palácio Potala, freqüentemente observava a vida na cidade por um telescópio. Também aprendi muito com a tagarelice do pessoal da limpeza do palácio. Eles eram o meu jornal, contando o que o Regente fazia, e o que ocorria em matéria de escândalos e corrupção. Sempre ficava feliz de escutar e eles orgulhosos de contar ao Dalai Lama o que acontecia nas ruas. Os acontecimentos difíceis que precederam a invasão de 1950 forçaram-me a envolver-me diretamente em assuntos que de outra forma seriam mantidos a distância. Como resultado, passei a preferir uma vida comprometida com ação social neste mundo de sofrimento.

O período mais difícil para mim aconteceu depois da invasão chinesa. Tentei agradar meus invasores de modo que a situação não piorasse. Quando uma pequena delegação de oficiais tibetanos assinou um acordo de dezessete pontos com os chineses, sem o consentimento do governo e o meu, ficamos sem alternativa a não ser trabalhar a partir do acordo. Muitos tibetanos não gostaram, mas quando eles expressaram sua oposição, os chineses responderam ainda mais duramente. Fui pego no meio do problema, tentando acalmar a situação. Os dois primeiros-ministros na época, por sua própria conta, reclamaram com o governo chinês, que me pediu para demiti-los. Esse era o tipo de problema que tive de enfrentar diariamente enquanto estávamos no Tibete. Não podíamos nos concentrar em melhorar nossa situação, mas eu criei um comitê de reformas para aliviar a carga excessiva de impostos e taxas.

Contrariando os chineses, visitei pela primeira vez a Índia em 1956 para celebrar os 2.500 anos do nascimento do Buda. Quando estava na Índia, tive de tomar a decisão difícil sobre voltar ou não ao Tibete. Recebi notícias sobre revoltas abertas no leste do país, e muitos oficiais no Tibete me aconselharam a não retornar. Além disso, pela experiência passada, eu sabia que, à medida que a China desenvolvesse maior força militar, sua atitude ficaria mais agressiva. Podíamos ver que não havia muita esperança, mas naquela época não estava claro que receberíamos total garantia de ajuda efetiva do governo da Índia ou de outro país.

Finalmente decidimos voltar ao Tibete. Mas em 1959, quando houve uma fuga em massa para a Índia, a situação era mais tranqüila porque o dilema não existia mais. Pudemos empregar todo o nosso tempo e energia para construir uma comunidade saudável com educação moderna para os jovens e, ao mesmo tempo, tentar preservar nossos métodos tradicionais de estudar e praticar o budismo. Atualmente estamos trabalhando em uma atmosfera de liberdade sem medo.

Minha própria prática foi beneficiada por uma vida

com grandes problemas e turbulências. Você também pode ver as adversidades que enfrenta como um aprofundamento de sua prática.

EQUALIZANDO E MUDANDO DO EU PARA O OUTRO

Como Shantideva mostrou em sua prática, primeiro você se conscientiza de que todos os seres sencientes querem a felicidade e não querem o sofrimento, assim como você. Dessa maneira, você e eles são iguais. Então, quando considerar que é apenas uma pessoa isolada, vivendo com um infinito número de seres sencientes, perceberá que é completamente ridículo desprezar o bem-estar alheio ou usá-lo em seu próprio benefício. É bem mais razoável se dedicar ao serviço dos outros.

Quando você considera a situação dessa forma, tudo fica mais claro. Não importa o quanto seja importante, você é apenas uma pessoa. E tem o mesmo direito de ser feliz que qualquer pessoa tem. Mas a diferença é que você é um só, eles são muitos. É um fato importante quando alguém perde a felicidade, mas não tão importante quando muitos outros perdem. Nesta perspectiva, você pode cultivar compaixão, amor e respeito pelos outros.

De certo modo, todos os seres humanos pertencem a uma única família. Precisamos adotar a igualdade humana e ter consideração por qualquer um – não apenas para a *minha* família, *meu* país, *meu* continente. Precisamos mostrar consideração por cada ser vivo, não apenas pelos poucos que se parecem conosco. As diferenças de religião, ideologia, raça, sistemas econômicos e sociais, e governo são todas secundárias.

Sendo Sabiamente Egoísta

Coloque os outros em primeiro lugar. Você mesmo virá depois. Isso funciona até mesmo de um ponto de vista egoísta. Deixe-me explicar como isso é possível. Você deseja felicidade e não quer sofrer. Se você tratar os outros com bondade, amor e respeito, eles responderão com bondade. Desta maneira, sua felicidade aumentará. Se demonstrar raiva e ódio, eles reagirão da mesma forma, e você perderá sua felicidade. Então, eu digo que se você é egoísta, você deve ser *sabiamente* egoísta. O egoísmo comum está centrado apenas nas suas próprias necessidades. Mas se for sabiamente egoísta, você tratará os outros tão bem quanto o faz com as pessoas mais próximas a você. Em última instância, essa estratégia produzirá maior satisfação, maior felicidade. Então, mesmo de um ponto de vista egoísta, você obterá melhores resultados ao respeitar e servir aos outros e não centrando mais as coisas em si mesmo.

Quando tiver consideração pelos outros, seu bem-estar aumentará automaticamente. Considere as ações não-virtuosas físicas e verbais, que são as causas de se nascer em uma situação ruim. Alguém com uma perspectiva de vida limitada evita matar, por exemplo, apenas para não acumular carma ruim em sua mente. Alguém com uma cabeça mais aberta evita matar para não eliminar a possibilidade de renascer em uma vida melhor, onde pode continuar a existência cíclica. Mas os altruístas consideram a vida dos outros tão importante quanto a deles mesmos e evitam matar para proteger a vida de outra pessoa. Este carinho pelos outros é uma grande diferença da força da motivação para evitar matar. Quem tem uma motivação autocentrada pode até pensar que mesmo que se cometa uma ação ruim, eles podem se confessar e procurar melhorar o carma. Enquanto isso, quem valoriza a vida alheia tem consideração pelo sofrimento alheio e sabe que não ajuda àquela pessoa confessar que matou. O mesmo vale para o roubo, adultério, mentira, argumentação sectária, discussão áspera e, até, creio eu, tagarelice sem sentido.

Outra característica valiosa para a consideração pelos

outros é que ela põe sua própria situação em perspectiva. Certa vez, fiquei particularmente triste com a situação do Tibete. Mas então me lembrei que fizera os votos de Bodhisattva e que refletia freqüentemente a cada dia a oração de Shantideva:

> Enquanto o céu existir
> E enquanto seres sencientes houver
> Possa eu permanecer para ajudar
> Aliviando a dor de todos eles.

Logo que me lembrei desse trecho, senti um grande alívio, como se tivesse tirado um grande fardo de minhas costas.

A consideração altruísta alivia causas específicas da melancolia, colocando-as sob uma perspectiva mais abrangente. Essas causas não devem desencorajá-lo. Muitos de seus próprios problemas, medos e tristezas nessa vida vêm do egocentrismo. Como já mencionei, ser sabiamente egoísta não é ruim, mas o egoísmo míope, que considera apenas a satisfação imediata, é contraprodutivo. Uma perspectiva limitada deixa sem solução até o menor dos problemas. Ao ter consideração por todos os seres sencientes, sua visão se amplia, tornando-o mais realista. Dessa forma, uma atitude altruísta ajuda a diminuir, instantaneamente, sua dor.

Meu conselho mais sério é que pratique o amor e a bondade, pertencendo ou não a uma religião. Através desta prática, você descobrirá o valor da compaixão e da bondade para sua própria paz mental. Depois de tudo, mesmo que não tenha consideração pelas outras pessoas, terá consideração consigo mesmo – não há dúvidas sobre isso –, então você precisa querer conquistar a paz na mente e uma vida feliz. Se agir com maior bondade e tolerância, você encontrará paz. Não há necessidade de mudar os móveis de casa ou trocar de moradia. Seu vizinho pode até ser barulhento ou difícil de se lidar, mas se sua mente estiver calma e em paz, os vizinhos não o incomodarão. Se você se irrita sempre, mesmo quando seus melhores amigos o visitam, não conseguirá ser feliz, realmente. Se for calmo, nem mesmo seu inimigo poderá perturbá-lo.

É por isso que eu digo que se você for realmente egoísta, é muito melhor ser sabiamente egoísta. Desse modo, poderá direcionar sua motivação egoísta para ser feliz. Isso é muito melhor do que ser autocentrado ou tolamente egoísta, o que não dará certo.

Visualização

A seguinte técnica de visualização é muito útil para a prática diária:

1. Mantenha-se calmo e controlado.
2. Na sua frente à direita, imagine uma reprodução de você mesmo que seja uma massa sólida de autocentramento egoísta, o tipo de pessoa que faria qualquer coisa para se satisfazer imediatamente.
3. Na sua frente à esquerda, visualize um grupo de pessoas pobres que não têm relação com você, incluindo alguns que estejam sofrendo, passando necessidades e que não tenham bens materiais.
4. Mantenha-se calmo e sem preconceitos enquanto observa os dois lados. Agora pense: "Ambos querem a felicidade, ambos querem acabar com o sofrimento, ambos têm o direito de atingir esses objetivos."
5. Considere isto: muitas vezes trabalhamos duro e por muito tempo por um salário melhor. Ou gastamos muito dinheiro esperando ganhar cada vez mais. Desejamos fazer sacrifícios temporários para um retorno a longo prazo. Pela mesma lógica, é perfeitamente aceitável que uma pessoa faça sacrifícios para ajudar muitos outros. Naturalmente sua mente favorecerá o lado com um número maior de pessoas sofrendo.

Como um observador imparcial, considere seu próprio lado egoísta à sua direita, negando o bem-estar de muitos, não importa o quão terrível seja o sofrimento deles. Simplesmente não é bom ser dessa maneira. Ambos os lados que você está visualizando têm o mesmo direito à felicidade, não há maneira de sobrepujar a necessidade de um número maior. O ponto central é que você deve servir e ajudar as outras pessoas.

Este estado mental é inegavelmente difícil de se alcançar. Mas se você praticar com grande determinação, ano após ano, sua mente irá mudar para melhor. Durante os anos 60, dei uma aula sobre os *Estágios do caminho da iluminação* [*Stages of The Path to Enlightnment*], de Tsongkhapa, em que mencionei que se eu atingisse o primeiro nível da verdadeira cessação das emoções aflitivas, faria um grande descanso. Eu realmente achava que seria assim. Ainda que eu admirasse o altruísmo, eu pensava que poderia ser muito difícil desenvolvê-lo. Então, por volta de 1967, recebi os ensinamentos sobre o *Guia para o modo de vida do Bodhisattva*, de Shantideva, do Lama Kagyu Kunu Tenzin Gyeltsen, e comecei a refletir mais sobre seu significado, juntamente com o *Grinalda preciosa*, de Nagarjuna. Finalmente, ganhei maior confiança para que, com tempo suficiente, pudesse desenvolver este alto grau de compaixão. Agora, começando por volta de 1970, a cada manhã em que eu meditava sobre o altruísmo, chorava. É desta forma que a transformação ocorre. Eu não digo que desenvolvi um alto grau de altruísmo, mas estou confiante de que ainda posso chegar lá.

Mesmo que sua experiência sobre altruísmo seja modesta, ela lhe traz, definitivamente, um nível de paz mental. Ter consideração pelos outros confere grande poder para mudar sua mente. Se você praticar a compaixão em benefício de todos os seres vivos – incluindo os animais –, então o mesmo mérito ilimitado aparecerá para você.

ENTENDENDO NOSSA RESPONSABILIDADE

Mesmo se não puder, por enquanto, chegar ao nível de adorar os outros mais do que a si mesmo, pelo menos você pode começar a ver que não é certo desprezar os outros. Temos um corpo e o poder do julgamento humanos, mas se usarmos ambos apenas para fins egocêntricos, e não para o benefício dos outros, não seremos mais do que animais. Na verdade, formigas, só para citar apenas um exemplo, trabalham sem egocentrismo para a comunidade. Nós, humanos, às vezes não somos comparativamente tão bons. Supostamente somos seres superiores, então devemos agir de acordo com nossos egos mais elevados.

Se olharmos para a história mundial, as maiores tragédias que causaram perdas de vidas terríveis foram causadas por seres humanos. Os seres humanos causam a desordem. Hoje, milhões de pessoas vivem em constante terror ou conflitos raciais, étnicos ou econômicos. Quem é o responsável por este terror? Não são os animais. As conseqüências da guerra incluem a morte de muitos animais, mas isso não nos preocupa. Pensamos apenas em nós mesmos. Muito se fala sobre o fim da guerra, mas devemos ir além do desejo no pensamento. Qual é nosso valor humano quando vivemos sem nenhum sinal de compaixão, nenhuma consideração, apenas matando e comendo animais, e lutando e matando milhares de pessoas? É nossa responsabilidade acabar com esta desordem.

Hoje em dia, uma das melhores maneiras de se comunicar é por intermédio da televisão. As pessoas que trabalham na TV e desejem pôr em prática esta idéia nobre de considerar os outros, podem dar uma contribuição substancial. Ainda que histórias de sexo e assassinato sejam um bom divertimento, elas exercem influência negativa bem no fundo da mente. Não precisamos desse tipo de entretenimento o tempo todo – ainda que eu não tenha nada a ver com este assunto!

Devemos educar nossas crianças para a prática da

compaixão. Pais e professores podem transmitir para as crianças valores humanos reais e calorosos, o que traria grandes benefícios. Li em um jornal que um fabricante que produzia rifles de brinquedo suspendeu a produção de artigos violentos no Natal. Que idéia maravilhosa! Que atitude altruísta!

DECIDINDO ALCANÇAR A ILUMINAÇÃO

Uma vez que você tenha chegado ao ponto de querer, profundamente, fazer o possível para acabar com o sofrimento e suas causas e ajudar outros seres vivos a conquistar a felicidade, reflita sobre como isso pode ser obtido. Isto só pode acontecer se as outras pessoas também entenderem como este processo funciona e, então, colocá-lo em prática. Assim, seu comprometimento com o bem-estar dos outros seres pode ser mais bem suportado ao ensiná-los como praticar e quais comportamentos abandonar. Dessa forma, eles também terão o poder de manter a felicidade e evitar o sofrimento. Não há outra maneira. Para isso acontecer, você deve conhecer a disposição íntima e os interesses dos outros, assim como o que ensinar para eles.

Então, para ajudar os outros, você deve estar totalmente preparado. Em que consiste essa preparação? Você deve remover todos os obstáculos de sua própria mente para saber tudo o que deve ser conhecido. O que os praticantes compassivos – chamados Bodhisattvas – realmente desejam não é apenas superar as obstruções que impedem sua própria libertação. Eles querem limpar o caminho para a onisciência, de modo que possam ter acesso às disposições dos outros e escolher quais técnicas os ajudarão. Se fosse apenas uma questão de escolha, os Bodhisattvas escolheriam primeiro remover as obstruções. Mas as emoções aflitivas, que nos mantêm aprisionados na existência cíclica, estabelecem as obstruções para a onisciência. Essas obstruções são predisposições da mente que fazem com que os fenômenos *aparentem* ter existência inerente. Sem primeiro sobrepor a principal emoção aflitiva – a ignorância que *acredita* na existência inerente –, você não poderá sobrepor as predisposições postas na mente pela ignorância. Pela purificação das obstruções aflitivas, assim como pelas predisposições estabelecidas por elas, você pode transformar sua própria consciência na consciência onisciente de um Buda, totalmente iluminada.

Em resumo, para trazer a felicidade completa para os outros, é necessário que você atinja a iluminação. Quando você entender isso e resolver buscar a iluminação pensando nos outros, é o que se chama de intenção altruísta para a iluminação, ou *bodhichitta*. Você pode gerar o poder do *bodhichitta* em você, seguindo a prática de Shantideva de ver a si mesmo e aos outros como igualmente desejosos da felicidade e, com isso, mudar a ênfase de seus objetivos para os de infinitas pessoas.

Há três diferentes estilos de atitudes altruístas, encontradas em três tipos de pessoas. O primeiro tipo é como um monarca, desejando atingir antes o estágio de Buda para poder ajudar os outros seres. A segunda é como um barqueiro, desejando chegar a outra margem junto com todos os outros seres. A última é como um pastor, desejando que todos os outros atinjam o estado de Buda primeiro, antes mesmo da iluminação do próprio pastor.

As duas últimas analogias apenas indicam a atitude compassiva de alguns tipos de praticantes. Na verdade não há nenhum caso como o do barqueiro, de todos conseguirem a iluminação simultaneamente, nem como o pastor, em que os outros conseguem primeiro. Em vez destes, a iluminação sempre chega em primeiro lugar, como um monarca, já que os Bodhisattvas às vezes decidem se tornar iluminados o mais rápido possível, para poder ajudar os outros melhor e em maior número. Como o sábio tibetano Sakya Pandita diz em seu *Diferenciação dos três votos* [*Differentiation of the Three Vows*], Bodhisattvas têm dois tipos de desejos em orações, os que podem e os que não podem ser realizados. No *Guia do modo de vida do Bodhisattva*, de Shantideva, há muitos exemplos de desejos que, na verdade, não podem ser realizados, mas eles existem para fortalecer a vontade e a determinação. Por exemplo, a prática de transferir nossa felicidade e receber o ódio dos outros não é possível literalmente, a não ser, talvez, para pequenos sofrimentos. Mas esta prática, apesar de irreal, tem como objetivo aumentar a coragem da compaixão. As analogias do barqueiro e do pastor servem para indicar como é poderoso o desejo dos Bodhisattvas de ajudar os outros.

Deixe-me exemplificar esta dedicação em um nível profundo de experiência. Havia um praticante erudito no monastério Drashikyil, em uma província no nordeste do Tibete chamada Amdo. Em 1950, quando os chineses comunistas invadiram e prenderam mil dos três mil monges do monastério, cem foram escolhidos para serem mortos. Ele era um deles. Ao ser levado para o local da execução, pouco antes de ser atingido por um tiro, ele orou:

> Que todas as ações, obstruções e sofrimentos ruins
> de todos os seres
> Sejam transferidos para mim, sem exceção,
> neste momento

E que minha felicidade e mérito sejam enviados
para todos os seres
Que todas as criaturas sejam imbuídas desta felicidade!

Apenas alguns instantes antes de ser morto, ele teve a presença espiritual de lembrar da prática de tomar para si o sofrimento de todos os seres e lhes dar sua própria felicidade! É muito fácil falar sobre esta prática quando as coisas estão bem, mas ele foi capaz de realizá-la no momento mais difícil. É uma indicação clara da realização espiritual adquirida de uma longa prática.

❖

Como o *Guia para o modo de vida do Bodhisattva* diz, se uma pessoa cega encontra uma jóia em um monte de lixo, ela irá adorá-la afetuosamente. Se, no meio do lixo da luxúria, ódio e ignorância – emoções que afligem nossas próprias mentes e nosso mundo – gerarmos uma atitude compassiva, nós devemos amá-la como a esta jóia. Esta descoberta preciosa pode nos trazer alegria e tranqüilidade reais. Alternativas como entrar de férias ou usar drogas apenas trazem alívio temporário. Uma atitude disciplinada de verdadeira consideração pelos outros, na qual você adora os outros mais do que a você mesmo, é útil tanto para você quanto para os outros. Ela não prejudica ninguém, temporariamente ou a longo prazo. Compaixão é uma jóia sem preço.

Preocupe-se com os outros o tempo todo. Se você não puder ajudar os outros, pelo menos não lhes faça mal. Este é o sentido essencial da prática da moralidade.

❖

RESUMO PARA A PRÁTICA DIÁRIA

Diariamente, visualize em cinco etapas descritas anteriormente:

1. Permaneça calmo e controlado.
2. Na sua frente à direita, imagine uma reprodução de você mesmo, egoísta e autocentrada.
3. Na sua frente à esquerda, imagine um grupo de pessoas pobres, sem nenhuma relação com você, nem amigos nem inimigos.
4. Observe os dois lados a partir de seu ponderado ponto de vista. Agora pense, "Ambos querem a felicidade.

Ambos querem se livrar do sofrimento. Ambos têm o direito de alcançar esses objetivos".

5. Considere isto: assim como normalmente fazemos sacrifícios temporários para um benefício de longo prazo, também é muito mais importante beneficiar o grande número de seres sofredores de sua esquerda do que uma única pessoa egoísta de sua direita. Veja como sua mente naturalmente se volta em favor do lado com maior número de pessoas.

6
Aspirando à Iluminação

Por que Procurar a Iluminação?

Compaixão é a chave para atingir um nível mais profundo de moralidade. Então como podemos ajudar os outros se nós mesmos estamos envolvidos em atitudes erradas? Sem estarmos em uma posição melhor, é difícil ajudar os outros em larga escala como discutimos. Por exemplo, se você for ajudar as pessoas que são analfabetas, você precisa ser alfabetizado. Da mesma forma, para ajudar muitos seres sencientes, precisamos atingir o estado de Buda, pois um Buda apresenta todas as qualidades necessárias para ajudá-los – conhecimento de todas as técnicas para o desenvolvimento espiritual e conhecimento clarividente de suas emoções, interesses, disposições e assim por diante. Quando você se direciona para a prática da compaixão para sentir consideração pelos outros, é um tempo para estabelecer novos valores. Nós preparamos o terreno na mente para esses valores ao nos dedicarmos ao ritual de aspirar à iluminação.

Você já está equipado com as qualidades básicas necessárias para conseguir a completa iluminação – a natureza luminosa e cognitiva de sua mente. Então, concentre-se no pensamento "Atingirei a perfeita iluminação em benefício dos seres sencientes através do espaço ilimitado". Alimente esta intenção até fortalecê-la. O ritual de aspirar à iluminação altruísta é muito útil neste processo.

SETE PRÁTICAS MERITÓRIAS

Este ritual, que deve fazer parte de sua meditação diária, começa com sete etapas seguidas de uma oferenda especial. Essas práticas aumentam sua força de mérito, que, por sua vez, o leva mais seguramente à transformação. Através dessas formas de devoção, você intensificará seu comprometimento pela compaixão. Como pode ver, todos comprometem uma devoção a esses seres especiais que nos ensinam a ter compaixão.

1. *Homenagem*. Imagine o Shakyamuni Buda cercado de inúmeros Bodhisattvas, preenchendo o céu à sua frente, e faça homenagem com seu corpo, palavras e mente.

Junte as palmas das mãos e sinta intensamente que você está respeitosamente tomando refúgio nos Budas e Bodhisattvas. Diga em voz alta: "Homenagem ao Buda Shakyamuni e aos Bodhisattvas."

2. *Oferenda*. Selecione oferendas, como frutas ou incenso. Imagine tudo que possa ser adequadamente oferecido – mesmo que você não o possua – incluindo seu corpo, seus bens e sua própria virtude. Então, imagine oferecendo tudo para todos os Budas e Bodhisattvas.
3. *Revelando más ações*. Todos nós somos responsáveis por incontáveis más utilizações do corpo, palavras e mente, motivados pelo desejo de prejudicar os outros. No espírito de total revelação, desenvolva um sentimento de arrependimento por ter feito isto, como se através dessas ações você tivesse ingerido veneno. Desenvolva, também, uma intenção de não praticar novamente esses atos, como se eles pudessem, no futuro, custar a sua vida. Pense: "Do fundo do meu coração, eu revelo para os Budas e Bodhisattvas as más ações que eu realizei." A principal maneira de purificar as ações ruins é pelo arrependimento. Quanto mais você se arrepender, mais forte será sua intenção de não repeti-las no futuro.

4. *Admiração*. Das profundezas do seu coração, admire as ações virtuosas feitas por você ou pelos outros. Aprecie as boas coisas que você fez em sua vida. Concentre-se em boas ações específicas como fazer caridade. O fato de você ter um corpo humano nesta vida e a oportunidade de praticar o altruísmo é uma prova de ações virtuosas em vidas passadas. Rejubile-se dessas virtudes, também, e pense consigo mesmo: "Eu fiz coisas realmente boas." Também aprecie as virtudes dos outros, vendo-as ou não, em primeira mão, ser realizadas. Rejubile-se das inúmeras virtudes dos Budas e dos Bodhisattvas durante toda a história. Ao se deliciar com as próprias virtudes e as dos outros, você não se arrependerá de suas ações virtuosas (por exemplo, como se lamentar que ao fazer caridade sua conta bancária ficou no vermelho) e você também evitará invejar os feitos dos outros, ou competir com eles.
5. *Pedido*. Peça aos Budas que se tornaram completamente iluminados, mas que ainda não se engajaram em ensinar a doutrina espiritual, para começarem a fazê-lo em benefício de todos os que sofrem.
6. *Súplica*. Reze para que os Budas não morram. Este é um pedido específico para os Budas que ensinaram muito e estão próximos da morte.

7. *Dedicação*. Melhor do que direcionar a prática das etapas anteriores para felicidade e conforto temporários nesta ou na próxima vida, ou para apenas se liberar da existência cíclica, é dedicá-la para atingir a mais alta iluminação. Pense: "Que essas ações me ajudem a atingir a total e perfeita iluminação em benefício de todos os seres sencientes."

Então imagine que o mundo todo foi purificado e o ofereça com todas as maravilhas concebidas aos Budas e Bodhisattvas. Essa oferenda especial alimenta a compaixão por oferecer todas as coisas desejáveis para quem as ensina.

COMPROMETIMENTO COM A AJUDA

Agora você está pronto para o ritual de aspirar à iluminação para o benefício de todos os seres. Ele é dividido em duas partes, a primeira é recitar uma pequena oração de refúgio: "Até que eu alcance a iluminação, eu buscarei refúgio no Buda, na doutrina e na suprema comunidade espiritual." Em sua forma mais compassiva, o refúgio é a união de três atitudes.

1. Consideração pelo estado de sofrimento de todos os seres, não apenas de você mesmo. Considere, também, que eles não procuram somente alívio solitário, mas aspiram à iluminação altruísta do estado de Buda.
2. Fé no Buda, nos estágios da realização e na comunidade espiritual, mantendo a convicção que através deles todos os seres se libertarão de todo o sofrimento.
3. Compaixão, que significa não aceitar, sem fazer alguma coisa a respeito, ver os outros sendo escravos do sofrimento.

Saber que o Buda é o mestre do refúgio, que os caminhos verdadeiros e as verdadeiras cessações são o refúgio real, e que os Bodhisattvas, que compreenderam diretamente a verdadeira natureza dos fenômenos, formam nossa comunidade espiritual, conduzindo todos os seres vivos para o refúgio.

Com este conhecimento, aspire à mais alta iluminação recitando: "Pela coleção de méritos de minha capacidade de doação, moralidade, paciência, esforço, concentração e sabedoria, que eu possa atingir o estado de Buda para ajudar a todos os seres." Quando você terminar, pense: "Por intermédio dessas forças, que eu possa atingir o estágio de Buda, não para ajudar a mim, mas para servir a todos os seres sencientes, ajudando-os a atingir o estado de Buda." Isso é chamado de geração de uma intenção compassiva para conseguir a iluminação na forma de um desejo.

Isto nos leva à parte central do ritual. Com um forte desejo de atingir o estado de Buda para servir aos outros seres, imagine diante de você o Buda ou seu próprio mentor espiritual representado por ele.

1. Recite as palavras abaixo como se as estivesse repetindo depois do Buda:

> Até que eu alcance a iluminação, buscarei refúgio no Buda, na doutrina e na suprema comunidade espiritual.
>
> Através do acúmulo de méritos de minha capacidade de doação, moralidade, paciência, esforço, concentração e sabedoria, que eu possa atingir o estado de Buda para ajudar a todos os seres.

Ao dizer isto, você está direcionando suas ações virtuosas não para algum objetivo pequeno desta vida, ou da próxima, mas para o maior objetivo de todos – conseguir a libertação total de todos os seres. Desenvolva esta atitude com grande determinação.

2. Faça uma segunda repetição com maior determinação para fazer esta meta altruísta uma constante em sua vida diária:

   Até que eu alcance a iluminação, buscarei refúgio no Buda, na doutrina e na suprema comunidade espiritual.

   Através do acúmulo de méritos de minha capacidade de doação, moralidade, paciência, esforço, concentração e sabedoria, que eu possa atingir o estado de Buda para ajudar a todos os seres.

3. Faça a terceira repetição com ainda maior determinação, do fundo do seu coração. Tome uma última e bem fundamentada decisão – que não seja alterada pelas circunstâncias – de que o bem-estar de tantos outros é muito maior do que o seu. Pense: "Agora, quando tiver uma grande oportunidade dessas, nada é tão importante quanto trabalhar em benefício dos outros! De agora em diante, para a completa extensão de minha habilidade, eu não me concentrarei mais em meu próprio bem-estar e me comprometerei profundamente com o progresso de todos os seres. Para conseguir isso, atingirei uma iluminação perfeita e insuperável." Recite:

Até que eu alcance a iluminação, eu buscarei refúgio no Buda, na doutrina e na suprema comunidade espiritual.

Através do acúmulo de méritos de minha capacidade de doação, moralidade, paciência, esforço, concentração e sabedoria, que eu possa atingir o estado de Buda para ajudar a todos os seres.

Isto conclui o ritual. Por meio dele, você planta e rega as sementes de uma compaixão firme e forte.

Mantendo o Comprometimento nesta Vida

Há quatro práticas direcionadas para evitar que este altruísmo se deteriore nesta vida.

1. Primeiro, aumente seu entusiasmo por tornar-se iluminado em função dos outros, se lembrando constantemente dos benefícios de agir assim.
2. Então, aumente sua consideração pelos outros, dividindo tanto o dia como a noite em três períodos cada. Durante esses períodos, dedique um pequeno tempo, ou acorde do sono, para praticar os cinco passos da

visualização, citados anteriormente, mesmo que seja apenas por cinco minutos. Essa prática é bastante eficaz; se torna um hábito regular, como almoçar na mesma hora. Se você não puder praticar freqüentemente, visualize os passos três vezes em uma seção que dure por volta de quinze minutos, e faça o mesmo à noite. Medite sobre o significado de seu objetivo: "Que eu possa atingir a mais alta iluminação para os outros!"

3. A próxima prática requer vigilância: em busca da obtenção da mais alta iluminação para o benefício de *todos* os seres, assegure-se de não desprezar mentalmente o bem-estar de qualquer pessoa que seja.
4. Tente acumular as duas forças de mérito e sabedoria o máximo possível. Para aumentar o mérito, se engaje voluntariamente em atividades virtuosas, como a generosidade e a moralidade. Para acumular sabedoria, você deve entender a verdadeira natureza dos fenômenos. Como este é um assunto complicado, será bem explorado nos Capítulos 8 a 10. Basta dizer, por enquanto, que é útil refletir em como os fenômenos surgem e existem, dependendo das causas e condições.

Mantendo o Comprometimento em Vidas Futuras

Em vidas futuras, suas intenções compassivas para se tornar iluminado podem enfraquecer. Você pode prevenir que isto aconteça ao abandonar as quatro atividades prejudiciais listadas a seguir, e por praticar as quatro atividades benéficas seguintes.

Quatro Práticas Prejudiciais

1. Enganar uma pessoa elevada como um abade, mestre ordenado, lama ou companheiro praticante sobre coisas negativas que você fez.
2. Fazer com que alguém que esteja comprometido com a virtude volte atrás no que está fazendo.
3. Criticar ou combater quem expressar compaixão pelos outros.
4. Fingir ou enganar para conseguir o serviço de outros.

Quatro Práticas Benéficas

1. Não mentir para ninguém. Há exceções, quando mentir pode resultar em grande benefício para os outros, mas são ocasiões raras.

2. Ajudar os outros, direta ou indiretamente, a se dirigir para a iluminação altruísta do estado de Buda.
3. Considerar e tratar os Bodhisattvas com o mesmo respeito do Buda. Como nós não sabemos quem é e quem não é um Bodhisattva, devemos tratar todos os seres com respeito. Como regra geral, coloque os outros acima de você.
4. Nunca enganar alguém e permanecer sempre honesto.

Se você resolver treinar essas práticas para conseguir a determinação necessária para atingir o estado de Buda pelos outros, então faça esta *promessa*: "Manterei minha determinação e nunca desistirei." Quem não puder manter esse nível de treinamento pode esquecer a promessa e, em vez disso, pensar: "Que eu possa atingir a mais alta iluminação em benefício de todos os seres!" As pessoas que não são budistas – cristãos, judeus, muçulmanos e outros – podem desenvolver uma atitude de consideração pelos outros com igual valor ao pensar: "Que eu esteja apto para ajudar todos os seres vivos."

INTENÇÃO PRÁTICA PARA SE TORNAR ILUMINADO

Quando sua aspiração para a iluminação é firme, você deve implementar suas ações. Essas são chamadas de ações de Bodhisattva, e entre elas as principais são as seis perfeições:

1. *Generosidade* inclui (1) fazer doações materiais de coisas como dinheiro, roupas e comida; (2) dar amor; (3) dar ensinamentos de doutrinas e práticas espirituais e (4) dar auxílio em situações desagradáveis para todos os seres – incluindo animais; ajudar até mesmo a tirar uma formiga de uma poça d'água.
2. *Moralidade*, que se refere principalmente às atitudes altruístas e o comportamento dos Bodhisattvas.
3. *Paciência*, que aparece em situações tensas, ou é usada para prosseguir em tarefas difíceis, como estudar e praticar por um longo período.
4. *Esforço*, que mantém o entusiasmo para a virtude e ajuda em todas as outras perfeições.
5. *Concentração*, que é a prática da meditação estável e intensa, explicada no próximo capítulo.
6. *Sabedoria*, que é necessária para entender a natureza da existência cíclica e a impermanência, assim como a origem dependente e o vazio.

As seis perfeições, por sua vez, podem ser resumidas nos três treinamentos dos Bodhisattvas – treinamento na perfeição da generosidade (que inclui a perfeição da doação e paciência), treinamento na perfeição da concentração e treinamento da perfeição da sabedoria. A perfeição do esforço é requerida para os três treinamentos. É assim que as seis perfeições são incluídas nas três divisões de prática da moralidade, meditação concentrada e sabedoria, que é o objetivo principal desse livro.

Quando você alcança o sentimento no fundo do seu coração que o faz se engajar nas ações dos Bodhisattvas – sendo essas as seis perfeições ou, vistas de outra maneira, as três práticas – é o momento certo para fazer os votos de Bodhisattva da intenção *prática* para se tornar iluminado.

❖

Essencialmente, todos os seres são unidos pelo desejo de conquistar a felicidade e evitar o sofrimento. Também somos os mesmos na possibilidade de acabar com o sofrimento e ter felicidade, que é um direito igual de todos nós. Então, qual a diferença entre você e os outros? Você é um só, uma minoria. É fácil ver que um grande número de seres sencientes esperando a chegada da felicidade e o fim do sofrimento são mais importantes do que uma pessoa sozinha. Desta forma, é razoável para você se comprometer com o bem-estar de inúmeras pessoas, para usar seu corpo, palavras e mente para o benefício delas, e abandonar uma atitude de cuidar apenas de si mesmo.

❖

RESUMO PARA A PRÁTICA DIÁRIA

Primeiro siga os sete passos preliminares:

1. *Homenageie* o Buda Shakyamuni cercado de inúmeros Bodhisattvas, a quem você imagina preenchendo o céu na sua frente.
2. *Ofereça* todas as coisas maravilhosas – mesmo que você não as possua – incluindo seu corpo, seus recursos e sua própria virtude, para os Budas e Bodhisattvas.
3. *Revele* as incontáveis más ações do corpo, palavras e mente que você fez com intenção de prejudicar os outros. Arrependa-se de tê-las cometido, e resolva se abster de praticá-las novamente no futuro.
4. *Admire* do fundo do seu coração suas próprias virtudes e as dos outros. Rejubile-se das boas coisas que fez

nesta vida e nas anteriores, pensando "eu tenho feito algo bom". Rejubile-se das virtudes dos outros, incluindo as dos Budas e Bodhisattvas.

5. *Peça* para os Budas que chegaram à completa iluminação, mas não transmitiram ainda seus conhecimentos, para ensinar em benefício dos sofredores.
6. *Suplique* para que os Budas não morram.
7. *Dedique* essas seis práticas para alcançar a mais alta iluminação.

Então, faça a parte central do ritual para aspirar à iluminação:

1. Com uma forte determinação para chegar ao estado de Buda para servir aos outros, imagine o Buda em frente a você, ou o seu mentor espiritual representando o Buda.
2. Recite três vezes como se estivesse repetindo na frente dele:

> Até que eu alcance a iluminação, buscarei refúgio no Buda, na doutrina e na suprema comunidade espiritual.
>
> Através do acúmulo de méritos de minha capacidade de doação, moralidade, paciência, esforço, concentração e

sabedoria, que eu possa atingir o estado de Buda para ajudar a todos os seres.

Para manter e fortalecer este altruísmo profundo nesta vida, faça o seguinte:

1. Lembre-se várias vezes dos benefícios de desenvolver uma intenção de se tornar iluminado em benefício dos outros.
2. Divida tanto o dia como a noite em três períodos, e durante cada um desses períodos separe um pouco de tempo ou se levante do sono e pratique os cinco passos da visualização dados no último capítulo. Também é suficiente visualizar os cinco passos três vezes durante uma sessão em torno de 15 minutos e três vezes à noite por mais 15 minutos.
3. Evite desprezar mentalmente o bem-estar de qualquer pessoa.
4. O máximo que você puder, se engaje em atividades virtuosas com uma atitude positiva, e desenvolva uma compreensão básica da natureza da realidade, ou mantenha um desejo de fazê-la e trabalhe para isso.

Para manter e fortalecer este altruísmo profundo em vidas futuras:

1. Não minta para ninguém, a não ser que você possa ajudar imensamente outras pessoas através da mentira.
2. Ajude direta ou indiretamente as pessoas a progredir até a iluminação.
3. Trate todos os seres vivos com respeito.
4. Nunca engane os outros e permaneça sempre honesto.

Em resumo, pense sempre e sempre: "Que eu esteja apto para ajudar a todos os seres vivos."

III

PRATICANDO A MEDITAÇÃO CONCENTRADA

7
Concentrando a Mente

❖

Vamos parar um momento para rever como ocorreu o progresso para a vida repleta de sentido. Primeiro vem a moralidade, depois a meditação concentrada, depois a sabedoria. A sabedoria decorre da mente unidirecionada da meditação, e a meditação depende da autoconsciência da moralidade. Nos últimos cinco capítulos, discutimos a prática da moralidade, que o torna mais equilibrado e pacífico e sua mente pronta para maior avanço espiritual. Com um modo consciente de comportamento, a meditação concentrada, chamada de tranqüila absorção, pode ser executada. Ainda assim, sua mente está muito fragmentada para praticar a meditação eficiente, que requer concentração total. Mesmo um pequeno ruído aqui ou ali pode imediatamente distraí-lo. Como é absolutamente necessário fazer com que a mente fique muito mais focada para que se possa alcançar a sabedoria, discutirei nesse capítulo o processo de desenvolvimento do estado profundamente concentrado da tranqüila absorção. Primeiro, descreverei resumidamente os vários tipos de meditação, para que você possa entender o lugar que a tranqüila absorção ocupa entre eles.

TIPOS DE MEDITAÇÃO

Há muitas maneiras de meditar:

- Dois tipos básicos de meditação são a *meditação analítica* e a *meditação estabilizadora*. Na meditação analítica, você analisa um assunto tentando entendê-lo pela razão. Por exemplo, você pode meditar por que as coisas são passageiras, refletindo sobre como elas são produzidas por suas causas ou como elas se desintegram a cada instante. Na meditação estabilizadora, você fixa sua mente em um único objeto ou assunto, como a impermanência (a tranqüila absorção é cultivada pela meditação estabilizadora).
- Outro modo de dividir a meditação é entre a *meditação subjetiva* e *meditação objetiva*. Na meditação subjetiva, sua meta é cultivar na mente uma atitude, ou perspectiva, nova ou fortalecida. O cultivo da fé é um exemplo deste tipo de meditação. A fé não é o objeto *em que* você se concentra, mas uma atitude que está sendo cultivada

pela meditação. (Cultivar a compaixão é meditação subjetiva, porque você não está meditando *na* compaixão, mas procurando tornar sua consciência mais compassiva.) Na meditação objetiva, você medita *em* um assunto, como a impermanência, ou um objeto, como o corpo dourado do Buda.

- Você pode *meditar no modo do desejo*. Por exemplo, você pode desejar ser preenchido com a compaixão e a sabedoria do Buda.
- Ou você pode avançar para a *meditação imaginativa*, em que você visualiza que possui qualidades que ainda não tem. A prática da ioga divina, por exemplo, exige a meditação sobre você mesmo como um ser ideal cujo corpo é composto da luz da sabedoria.

Sobre estas várias formas de meditação, vamos discutir como praticar a meditação estabilizadora da tranqüila absorção. Como mencionado anteriormente, a meta da estabilização é fortalecer a habilidade da mente de concentração em um único objeto ou assunto, que por sua vez permite que a mente supere problemas em sua raiz. Ela também o ajudará a estar mais alerta e em prontidão na vida diária, irá aumentar gradualmente seu poder de memória, que é útil em todas as partes de sua vida.

ATINGINDO A TRANQÜILA ABSORÇÃO

Para este tipo de meditação que você procura para atingir um estado mental profundamente concentrado, você precisa do seguinte:

1. A *causa inicial*, moralidade, que traz para você um modo de comportamento pacífico, relaxado e consciente, e desta forma remove as distrações ordinárias.
2. *Tempo e lugar para prática*, afastados da agitação do dia-a-dia. Reserve um horário para meditação em sua agenda diária. Para a meditação concentrada, é fundamental estar sozinho em um lugar quieto e reservado. Como o barulho é um espinho que impede a concentração, de início é muito importante estar em um lugar silencioso. Veja se pode fazer uma espécie de retiro em suas férias.
3. Uma *alimentação* adequada fortalece a lucidez da mente. Por questões de saúde, pode ser necessário comer carne, mas, de maneira geral, a comida vegetariana é melhor. A moralidade da libertação individual não proíbe o consumo de carne de vez em quando. Mas você não deve comer a carne de um animal que foi morto especialmente por você. Você também não deve pedir carne se ela não lhe for oferecida. Na verdade,

será excelente se a maior parte das pessoas virar vegetariana. Algumas escrituras do Grande Veículo proíbem comer carne, devido à essência da moralidade do Grande Veículo ser a consideração pelos outros. Além disso, comida em excesso é prejudicial, portanto coma menos. É claro, bebidas alcoólicas estão fora de cogitação, assim como drogas que causem alteração mental. Fumar não é recomendado. Se um homem com barba estiver fumando quando entrar em meditação profunda, ele corre o risco de ver sua barba pegando fogo!

4. A quantidade certa de *sono*. Muito sono deixa sua mente entorpecida, e pouco, pode prejudicar a saúde. Você mesmo deve descobrir o seu ponto de equilíbrio em relação ao sono.
5. *Postura física* é importantíssima para a meditação concentrada, especialmente neste estágio inicial. Se possível, fique na posição de lótus ou na meia postura de lótus. Use duas almofadas, sentando-se sobre a menor para que os joelhos fiquem mais baixos do que o quadril. Desta forma, será mais difícil você se cansar, independentemente do tempo de meditação. Endireite a coluna, deixando-a reta; deixe a cabeça pender ligeiramente para a frente; direcione os olhos sobre o nariz para a frente; encoste a língua no céu da boca; mante-

nha seus lábios e maxilares como eles ficam normalmente; e deixe os braços ligeiramente soltos, sem forçá-los contra o corpo. Em relação à posição das mãos, os praticantes do Zen japonês costumam colocar a mão esquerda, com a palma para cima, sobre a direita, também com a palma para cima. Os tibetanos colocam a direita por cima, mantendo ambas com a palma para cima. Na prática tântrica, é importante colocar a mão direita sobre a esquerda, também com as palmas para cima, e com os dois polegares se pressionando para formar um triângulo, cuja base fica quatro dedos abaixo do umbigo.

O Objeto da Meditação

Há muitos objetos possíveis da meditação estabilizadora para atingir a tranqüila absorção:

- A respiração. Alguns textos recomendam observar a inspiração e expiração pelo nariz, mas não informam sobre qual deve ser a profundidade da respiração. Outros textos mostram como imaginar o movimento da respiração em áreas específicas do corpo. Em um tipo de exercício respiratório, você traz para cima o ar ou energia inferior e força para baixo as energias superiores, segurando-as como se estivessem em um recipiente logo abaixo do umbigo.

- Seu corpo, sensações, mente ou fenômenos como a impermanência. Essas meditações são chamadas de estabelecimentos através da plena consciência.
- A primeira letra de seu nome em um disco de luz, dentro ou fora de seu corpo.
- Os praticantes tailandeses freqüentemente meditam aplicando a plena consciência para qualquer coisa que façam. Enquanto estão andando, eles estão conscientes em colocar à frente o pé direito, depois o esquerdo e depois o direito novamente.
- De modo geral, um bom objeto de meditação para um budista é a imagem do corpo do Buda Shakyamuni. Para um cristão, pode ser a imagem de Jesus. Fixe nela seu olhar até que, quando fechar os olhos, ela apareça internamente em sua mente. Medite sobre a figura no nível dos olhos, não muito acima ou abaixo, na distância aproximada de um metro e meio.

No início é difícil fazer com que o objeto da meditação apareça de maneira clara em sua mente. Para evitar que sua percepção fique dispersa, pratique, freqüentemente, sessões intensas de cinco minutos em vez de longas meditações (o ideal são de quatro a dezesseis sessões rápidas). Quando ele, afinal, aparecer internamente, você terá encontrado o objeto de sua meditação. Então, fixe sua mente continuamente sobre ele.

Evitando a Agitação e a Lassidão

Para chegar à tranqüila absorção, é necessário ter estabilidade e clareza em relação ao objeto da meditação. Assim, os maiores obstáculos para a meditação sustentada são a agitação e a lassidão. A agitação impede a estabilidade. Quando a mente não se fixa no objeto, se distrai ou se dispersa, o objeto da meditação fica perdido. Também há uma forma sutil de agitação, quando mesmo que o objeto não esteja perdido, uma parte da mente fica pensando em outra coisa. Você precisa identificar a agitação e, por meio da plena consciência, não deixar que a mente fique sobre influência dela.

Letargia, uma sensação de peso no corpo e na mente, também é obstáculo para a clareza. A letargia causa a lassidão, que impede a clareza da mente. A lassidão comum faz a mente afundar; o objeto da meditação vai minguando até sumir. Na lassidão sutil, o objeto não se perde, mas a clareza do objeto e da mente diminui um pouco porque a intensidade da mente enfraqueceu; a mente está muito frouxa. A mente pode se fixar claramente no objeto da meditação, mas sem a atenção necessária; este estado é muitas vezes confundido com a meditação correta.

Quando sua mente está muito tensionada, e fica agitada, você precisa afrouxá-la, como se afrouxam as cordas de um violão. Da mesma forma, quando você fica em lassidão, sua mente não é suficientemente intensa; então precisa tensioná-la, como se apertam as cordas. Como vê, a mente precisa ser afinada como um delicado instrumento de cordas.

Plena Consciência e Introspecção

A força por trás do desenvolvimento da meditação concentrada é a plena consciência, que é a habilidade de fixar-se em um objeto, não se distraindo. Você exercita a plena consciência quando volta ao objeto da meditação cada vez em que ele se esvai – o que acontece uma vez atrás da outra. Quando alcançar a habilidade de manter a plena consciência no objeto, precisará usar a introspecção. Como diz o *Guia do modo de vida do Bodhisattva*, de Shantideva, a função específica da introspecção é avaliar, periodicamente, suas atividades, sejam físicas ou mentais. No processo de desenvolver a tranqüila absorção, o objetivo da introspecção é determinar se a mente está, no presente ou no futuro, sujeita à influência da agitação ou da lassidão. De início, os períodos de lassidão e agitação são fortes, mas, com esforço, se tornam fracos e menos freqüentes, e aumenta o tempo em que se consegue concentrar no objeto. Aos poucos, mesmo as formas sutis de agitação e lassidão perdem a força e desaparecem. Em última instância, aumenta a habilidade da mente de permanecer direcionada em um ponto, o objeto, sem as influências negativas da agitação e da lassidão.

Quando através da plena consciência e da introspecção você conseguir sustentar continuamente a posse do objeto, é possível atingir a meditação concentrada em seis meses. Inicialmente, você deve, com determinação, colocar sua mente no objeto da meditação depois, de tempos em tempos, você retém o objeto sem grande esforço; em seguida o manterá num modo relaxado e contínuo; e, finalmente, se mantém, de maneira espontânea, no objeto, sem precisar fazer nenhum esforço para remover a agitação ou a lassidão. Se você estiver apto a permanecer com o objeto por quatro horas, vívida e continuamente, você conseguiu uma estabilidade firme. Os estados desfavoráveis do corpo e da mente se foram, você chega a uma satisfação física e mental. Neste ponto, você alcançou a tranqüila absorção.

Qualidades da Tranqüila Absorção

Para receber o dom da tranqüila absorção, a mente precisa ter a *estabilidade* de se segurar firmemente em um objeto, mas só isto não é suficiente. A mente ainda deve estar *clara*, mas isto, também, não é o bastante. A clareza deve ser intensa, ativa e precisa, a mente não pode estar nem um pouco embotada.

Estes ajustamentos em sintonia fina para tornar a mente suscetível à tranqüila absorção não são fáceis. Em Dharamsala, na Índia, um dos tibetanos praticantes da meditação me disse que desenvolver a concentração em um só objeto é mais difícil do que agüentar as prisões chinesas! Justamente por ser difícil, é importante se preparar com cuidado, avançando etapa por etapa. Não force demais, especialmente no início, senão você corre o risco de ficar frustrado ou ter um ataque de nervos. O objetivo, neste momento, é a prática diária. Você escolhe um objeto de meditação e, enquanto se concentra nele, tenta conseguir e manter a estabilidade, clareza e intensidade.

Concentrando-se na Própria Mente

A tranqüila absorção também pode ser atingida por intermédio das meditações diárias sobre a própria mente. Uma das vantagens de se observar, agora, a mente é que isto fortalecerá sua habilidade de manifestar a mente de clara luz como se você estivesse morrendo. Primeiro, identifique a natureza essencial de luminosidade e conhecimento da mente, não obscurecida pelo pensamento, e se concentre nela. Esse é um dos muitos níveis de desprendimento (descreverei a meditação sobre a natureza última da mente no Capítulo 10).

Para se preparar para a concentração sobre a própria mente, você precisa superar os obstáculos emocionais, se dedicando à acumulação de méritos positivos, como o já comentado desenvolvimento da compaixão. O próximo passo é entender a natureza de sua própria mente. A melhor hora para isso é de manhã cedo, logo depois de acordar, mas antes das faculdades sensoriais estarem ativadas. Seus olhos ainda não abriram. Olhe para a consciência em si mesma. É uma boa oportunidade para experimentar a clara luz da natureza da mente. Não deixe sua mente pensar sobre o que ocorreu no passado, nem a deixe imaginar sobre o que virá no futuro. Mais ainda, deixe a mente vívida, sem qualquer elaboração, assim como ela é. No espaço entre velhas e novas idéias, descubra a natureza espontânea, não fabricada, luminosa e sábia da mente não afetada pelo pensamento. Quando você permanece assim, você entende que a mente é como um espelho, refletindo qualquer objeto ou conceito, e que tem uma natureza de luminosidade e conhecimento, de mera experiência.

Depois de reconhecer a natureza da mente como luminosidade e conhecimento, permaneça nela. Use seus poderes de plena consciência e introspecção para continuar neste estado. Se um pensamento chega, apenas olhe dentro de sua natureza real, e o conceito perderá seu poder e se dissolverá espontaneamente. Às vezes, com esforço, você pode impedir um pensamento de se formar completamente. Ainda assim, é mais comum quando você chega ao estado de reconhecimento da natureza básica, não afetada e não fabricada da mente, que os pensamentos se dissolvam enquanto estão sendo formados. Mesmo quando eles aparecem, não são poderosos. Saiba que, assim como as ondas do mar são feitas de água, os pensamentos são feitos da natureza luminosa e sábia da mente. E pela contínua prática diária, os pensamentos se enfraquecem e desaparecem sem qualquer outro esforço.

Essa prática da meditação ativa sua mente e melhora sua memória. Certamente esses benefícios se estendem além da prática espiritual, como nos negócios, na engenharia, ao cuidar da família, ou para ser um professor, médico ou advogado. Essa prática também ajuda no dia-a-dia contra a raiva. Quando você fica irritado, pode se concentrar na natureza da própria raiva e, assim, reduzir sua força.

Outro benefício desse treinamento mental vem da conexão próxima entre corpo e mente. Quando você é jovem e fisicamente saudável, sua mente é poderosa. É muito importante começar a treinar nessa época, para que, com a idade, sua mente continue jovem e saudável, apesar das mudanças no corpo. Depois de tudo, o cérebro humano é um dom especial. Seria uma pena deixá-lo enfraquecer por negligência, rendendo seus poderes à idade, como se, tal qual aos animais, seu único trabalho fosse cuidar do corpo. Para os praticantes, treinar a mente cedo, especialmente a concentração mental, é uma preparação importante para o dia final, quando sua mente deve permanecer clara e ativa para usar as técnicas especiais durante os estágios da morte. Ou pelo menos para influenciar o renascimento na próxima vida. O embotamento da mente neste ponto crítico pode ser muito perigoso. Uma garantia real de um bom renascimento é estar apto para conduzir sua prática durante os estágios da morte.

Seu estado mental pouco antes do renascimento é bastante influente na determinação das características de sua próxima vida. Você pode ter acumulado grande mérito em sua vida, mas se fica com a mente embotada, você ameaça a forma que sua próxima vida terá. Por outro lado, mesmo se tiver cometido algumas ações reprováveis, quando chega o dia final, se estiver preparado para aproveitar esta ocasião, seu próximo renascimento será definitivamente benéfico. Assim, se prepare para treinar a mente para estar renovada, alerta e ativa.

OUTRAS TÉCNICAS PARA OBTER A CALMA MENTAL

Em situações difíceis, é fácil ficar emocionalmente agitado. O budismo oferece muitas técnicas para aliviar o estresse e se acalmar em situações irritantes que encontramos todos os dias. Essas técnicas variam de acordo com as situações e as pessoas. É muito melhor usar o poder da meditação analítica para enfrentar diretamente os problemas, do que tentar evitá-los. Aqui estão alguns exemplos desta técnica:

- Quando se confrontar com um problema, faça o que puder para superá-lo. Mas se isso não for possível, reflita sobre o fato de que este problema é causado por suas próprias ações nesta ou em vidas anteriores. Entender que o sofrimento vem do carma trará alguma paz ao revelar que a vida não é injusta. De outra forma, a dor e o sofrimento parecerão sem sentido.

- Inicialmente, um problema pode parecer sólido e intratável, até que você investigue sua natureza real. Para isso, trabalhe no entendimento do alcance do sofrimento em sua própria vida. A mente e o corpo comuns têm uma natureza de sofrimento, assim como o fogo tem uma natureza de aquecer e queimar. Da mesma forma como aprendemos a trabalhar com a natureza do fogo, podemos aprender a trabalhar com o sofrimento em nossas vidas.
- Considere o problema a partir de uma perspectiva mais ampla. Se alguém o acusa, em vez de contra-atacar violentamente, imagine que esta acusação o liberta das garras de seu egocentrismo e, assim, aumenta sua consideração pelos outros. Transforme os acontecimentos ruins em forças, ajudando seu desenvolvimento espiritual. Essa técnica é difícil de se executar, mas muito poderosa quando você consegue.
- Quando você sente inveja ou deseja prejudicar um inimigo, em vez de ficar pensando nos defeitos dele, reflita sobre as qualidades que ele ou ela tem. Muitas pessoas são uma mistura de características boas e ruins – é difícil achar quem seja ruim em todos os aspectos.
- Reflita sobre o vazio da existência inerente – esta é a meditação analítica mais profunda, que explorarei nos próximos três capítulos.

Ou você pode usar a meditação estabilizadora para um descanso temporário.

- Se você não puder parar de se preocupar com algum acontecimento passado ou o que pode acontecer no futuro, mude seu foco para sua inspiração e expiração. Ou recite este mantra: *om mani padme hum* (pronuncia-se "om mani padmei hum"). Como a mente não pode se concentrar em duas coisas simultaneamente, qualquer uma dessas meditações faz a preocupação desaparecer.

❖

Parece-me que todas as religiões podem se beneficiar das técnicas budistas de meditação – a concentração unidirecionada ou plena pode ser aplicada em diversas situações. Em todas as profissões, podemos nos beneficiar da concentração da mente e do aumento da memória.

❖

Resumo para a Prática Diária

1. Escolha um objeto de meditação e concentre sua mente nele, tentando atingir e manter a estabilidade, claridade e intensidade. Evite a lassidão e a agitação.
2. Alternativamente, identifique o estado fundamental da mente, não obscurecido pelo pensamento – pura luminosidade, o estado sábio da mente. Com a plena consciência e a introspecção, mantenha-se neste estado. Se um pensamento aparecer, apenas olhe para a natureza real deste pensamento. Isto fará com que ele perca seu poder e se dissolva.

IV

PRATICANDO A SABEDORIA

8

Examinando como Seres e Coisas Existem

Visão Geral sobre a Sabedoria na Prática Espiritual

Para gerar o tipo de amor e compaixão que o motiva a procurar o estado de Buda, não para você mesmo, mas para o benefício dos outros, primeiro você deve encarar o sofrimento, identificando seus tipos. Esta é a primeira Nobre Verdade. Do dia em que nascemos ao dia em que morremos, sofremos a dor física e mental, o sofrimento da mudança e o sofrimento penetrante de condições incontroláveis. A segunda e a terceira Nobres Verdades nos fazem entender as causas do sofrimento e se estas causas podem ou não ser removidas. A causa fundamental do sofrimento é a ignorância – a compreensão errada que os seres e objetos existem inerentemente. Este capítulo mostrará que os seres e objetos, de fato, não existem dessa maneira.

Todos temos um conhecimento de nós mesmos, um

"eu", mas também temos a compreensão errônea que o "eu" tem uma existência inerente. Por causa dessa ilusão, vemos o *self* como existente por seu próprio poder, estabelecido por sua própria natureza e possível de existir por si mesmo. Esta sensação da existência inerente pode ser tão forte que o "eu" parece independente do corpo e da mente. Por exemplo, se você estivesse debilitado por causa de uma doença, poderia querer trocar de corpo com alguém mais saudável. Da mesma forma, quando sua mente está embotada, pode querer trocar sua mente com alguém mais alerta.

Mas, se houvesse esse eu separado – auto-estabelecido e existindo por sua própria condição – tornaria muito mais esclarecedor sob a luz de uma profunda análise saber se o eu existe fazendo parte do corpo ou da mente, ou pertencendo a ambos, ou independente da mente e do corpo. De fato, quanto mais de perto você examina, menos sabe. Isto parece ser o caso para tudo, para todos os fenômenos. O fato de você não poder esclarecê-los significa que esses fenômenos não existem pelo próprio poder. Não são auto-estabelecidos.

Uma vez, no início dos anos 60, quando eu refletia sobre um trecho de Tsongkhapa sobre não encontrar a causa e o fato de os fenômenos serem dependentes dos conceitos, era como se um raio atravessasse meu peito. A passagem era esta:

Uma corda enrolada tem a cor e o aspecto de uma cobra. Se alguém olha para ela em uma área escura, pensa: "É uma cobra." Para a corda, no momento em que parece ser uma cobra, o conjunto e as partes da corda não são, de forma alguma, iguais à cobra. Assim, a cobra é criada apenas pelo conceito. Da mesma forma, quando o pensamento sobre o "eu" aparece em dependência sobre a mente e o corpo, nada dentro da mente e corpo – nem o conjunto contínuo de momentos anteriores e futuros, nem o conjunto de partes em algum momento, nem as partes separadas, nem o contínuo de uma parte separada – é, nem ligeiramente, o "eu". Também não há, nem remotamente, uma entidade separada do corpo e da mente que possa ser apreendida como o "eu". Conseqüentemente, o "eu" é *apenas* criado conceitualmente junto ao corpo e mente. Não é estabelecido por sua própria entidade.

O impacto durou mais um tempo, e pelas semanas seguintes toda vez que eu encontrava alguém, eles pareciam como ilusões de um mágico em relação à existência inerente, mas sabia que, na verdade, não eram assim. Esta experiência, que foi como um raio em meu coração, está um nível abaixo da realização completamente válida e sem controvérsias. Isto acontece quando se torna real minha compreensão do fim das emoções aflitivas como uma possibilidade verdadeira. Nos dias de hoje, sempre medito de manhã sobre o vazio e trago esta experiência para as atividades do dia. Basta pensar ou dizer "eu" como em "eu farei isto ou aquilo" para, freqüentemente, disparar essa sensação. Mas ainda não posso dizer que consegui o entendimento total sobre o vazio.

A consciência que concebe a existência inerente não tem um fundamento válido. Uma consciência sábia, baseada na realidade, compreende que os seres vivos e outros fenômenos – mentes, corpos, construções e assim por diante – não existem inerentemente. Esta é a sabedoria do vazio. Ao entender que a realidade se opõe diretamente ao conceito equivocado da existência inerente, a sabedoria aos poucos vence a ignorância.

Remova a ignorância que conceitua equivocadamente os fenômenos sobre existência inerente que você prevenirá o surgimento das emoções aflitivas como ódio e luxúria. Dessa forma, também se pode remover o sofrimento. Além disso, a sabedoria sobre vazio deve ser acompanhada da motivação da consideração profunda pelos outros (e pelas ações compassivas que ela inspira), antes de poder remover as obstruções da onisciência. Estas obstruções são as predisposições para a aparência falsa dos fenômenos – mesmo para o sentido da consciência – como se eles existissem inerentemente. Assim, a prática espiritual completa requer o cultivo da *sabedoria* em conjunto com a *grande compaixão* e a *intenção de se tornar iluminado* pela qual os outros têm maior importância que você mesmo. Só a partir daí sua consciência pode se transformar na onisciência de um Buda.

Ausência do Eu

Tanto os budistas quanto os não-budistas praticam a meditação para ter prazer e se livrar da dor. Em ambos os sistemas, o eu é um objeto central. Alguns não-budistas que aceitam o renascimento aceitam também a natureza transitória do corpo e da mente. Mas eles acreditam em um eu permanente, imutável e unitário. Mesmo que as escolas budistas aceitem o renascimento, elas sustentam que não há este eu sólido. Para os budistas, o ponto mais importante no treinamento da sabedoria é o vazio, ou não-eu, que significa a ausência do eu permanente, unitário e independente. Ou, mais sutilmente, a ausência da existência inerente nos seres vivos ou em outros fenômenos.

Duas Verdades

Para entender a ausência do eu, você precisa entender que tudo que existe está contido em dois grupos chamados de as duas verdades: convencional e absoluta. Os fenômenos que vemos e observamos a nossa volta podem ir do bom ou ruim, ou do ruim ao bom, dependendo de várias causas e condições. Muitos fenômenos não podem ser chamados de inerentemente bons ou ruins; eles são melhores ou piores, altos ou baixos, bonitos ou feios apenas por comparação, não por causa de sua própria natureza. Seu valor é relativo. A partir daí, você pode ver que há uma discrepância entre o modo como as coisas aparecem e como elas atualmente são. Por exemplo, alguma coisa pode – em termos de como ela aparenta – parecer boa, mas por causa de sua natureza interior ser diferente, pode se tornar ruim mudando o contexto. A comida que parece saborosa em um restaurante pode não cair bem no seu estômago. É um claro sinal da discrepância entre aparência e realidade.

Esses fenômenos são chamados de verdades convencionais. Eles são conhecidos pela consciência que não vai além das aparências. Mas os mesmos objetos têm um modo interior de ser, chamado de verdade absoluta, que permite as mudanças trazidas pelas condições. Uma consciência sábia, não satisfeita com meras aparências, investiga para descobrir quais objetos existem inerentemente à medida em que aparecem. Mas ela descobre, ao final, a ausência da existência inerente. O que há é o vazio da existência inerente por trás da aparência.

Vazio de Quê?

O vazio, ou não-eu, pode apenas ser entendido se primeiro identificarmos quais fenômenos são vazios. Sem entender o que é negado, você não pode entender sua ausência, o vazio. Você pode pensar que o vazio significa não haver nada, mas não é assim. É difícil identificar e entender o objeto da negação apenas lendo. Os textos budistas falam no estabelecimento verdadeiro ou existência inerente. Mas, após um tempo, quando você alia sua própria pesquisa às leituras, a falsidade de nossa maneira comum de ver as coisas se torna mais clara.

O Buda disse, muitas vezes, que por causa de todos os fenômenos se manifestarem dependentemente, eles são relativos – sua existência depende de outras causas e condições e depende de suas próprias partes. Uma mesa de madeira, por exemplo, não existe independentemente. Ela depende de um grande número de causas como a árvore, o carpinteiro que a construiu e assim por diante. Também depende de suas partes. Se uma mesa de madeira ou qualquer fenômeno não fosse realmente dependente – se tivesse sido criado por si mesmo – então quando você o analisasse, sua existência por causa própria ficaria mais óbvia. Mas não é isso que ocorre. Este raciocínio budista é confirmado pela ciência. Físicos contemporâneos continuam descobrindo componentes da matéria cada vez mais sutis, mas ainda não conseguiram entender sua natureza definitiva. Entender o vazio é ainda mais profundo.

Quanto mais você vê como a consciência ignorante considera que os fenômenos existam, mais você descobre que os fenômenos não existem desta forma. Entretanto, quanto mais você vê o que a consciência sábia compreende, mais você se convence da ausência da existência inerente. Raiva e luxúria são governadas pela ignorância, e desta forma não podem ser concebidas sem limites.

Os Objetos Existem?

Como dissemos, já que qualquer fenômeno analisado não pode ser encontrado, você pode estar se perguntando se esses fenômenos existem realmente. Mas, sabemos pela experiência direta que as pessoas e coisas causam prazer e dor, e que elas podem ajudar ou prejudicar. Ainda assim, os fenômenos certamente existem; a questão é *como*. Eles não existem por conta própria, mas apenas têm uma existência dependente de muitos fatores, incluindo a consciência que os conceitua.

Uma vez que eles existem, mas não por si próprios, eles existem necessariamente em dependência da conceitualização. Mas quando os fenômenos aparecem para nós, eles não aparentam existir dessa maneira. Mais ainda, eles parecem estabelecidos por si próprios, do ponto de vista do objeto, sem depender da conceitualização consciente.

Quando você treina o desenvolvimento da sabedoria, você está procurando, mediante análise, encontrar a existência inerente de qualquer objeto que você esteja considerando – você mesmo, outra pessoa, seu corpo, sua mente ou qualquer outra coisa. Você não analisa a mera aparência, mas a natureza inerente do objeto. Assim, não é que você tenha entendido que o objeto não exista; em vez disso, você descobre que sua existência inerente não é encontrada. A análise não contradiz a mera existência do objeto. Os fenômenos existem, de fato, mas não da maneira como achamos que é.

O que fica depois da análise é uma existência dependente do fenômeno. Quando, por exemplo, você examina seu próprio corpo, sua existência inerente é negada, mas o que fica é um corpo dependente dos quatro membros, tronco e cabeça.

Se os Fenômenos São Vazios, Eles Podem Funcionar?

Toda vez que pensamos sobre os objetos, nós erroneamente acreditamos que eles existem por si mesmos? Não. Podemos conceber os fenômenos de três maneiras diferentes. Considere uma árvore. Não se pode negar que ela *aparenta* existir inerentemente, mas:

1. Podemos conceber a árvore como existindo inerentemente, por si mesma.
2. Podemos conceber a árvore como sem a existência inerente.
3. Podemos conceber a árvore sem pensar se ela existe inerentemente ou não.

Apenas o primeiro dos três está errado. Os outros dois modos de *apreensão* estão corretos. Mesmo se o modo de *aparência* estiver equivocado no segundo e no terceiro, de modo que a árvore aparente ter uma existência inerente.

Se os objetos não existem inerentemente, isto significa que eles não podem funcionar? É o pior dos equívocos pular logo para a conclusão de que por causa da verdadeira natureza dos objetos ser o vazio, eles seriam incapazes de funcionar como, por exemplo, causando dor ou prazer, ou ajudar ou prejudicar os outros. É uma visão niilista. Como o estudioso iogue indiano Nagarjuna disse em *Grinalda preciosa*, um niilista certamente terá uma transmigração ruim no renascimento, enquanto uma pessoa que acredita, ainda que erroneamente, na existência inerente terá uma boa transmigração.

Deixe-me explicar. Você precisa acreditar nas conseqüências das ações para escolher virtudes para sua vida e descartar as ações não-virtuosas. Por um tempo, pode ser muito difícil para você entender a visão sutil do vazio da existência inerente, sem cair na armadilha do niilismo. O niilismo o deixa incapaz de compreender que os fenômenos aparecem em dependência de causas e condições (aparecimento dependente). Em benefício do seu progresso espiritual, será melhor, por enquanto, deixar de lado a tentativa de penetrar o vazio. Mesmo se você erroneamente acreditar que os fenômenos existem inerentemente, você pode ainda desenvolver uma compreensão do aparecimento dependente e aplicá-lo na prática. Isto é porque o Buda, certa vez, ensinou que os seres vivos e outros fenômenos existem inerentemente. Estes ensinamentos estão nas suas *escrituras*, mas não são *seu próprio* pensamento final. Por razões específicas, ele algumas vezes falou de caminhos que ainda não são os finais.

De que Maneira a Consciência Erra

Como todos os fenômenos aparentam existir por si próprios, todas as nossas percepções comuns são errôneas. Apenas quando o vazio é alcançado durante uma meditação completamente concentrada é que não haverá falsas aparências. Neste ponto, o dualismo de sujeito e objeto se foi, assim como a aparência da multiplicidade. Apenas o vazio aparece. Depois de sair desta meditação, novamente os seres vivos e objetos aparentam falsamente existir por si mesmos. Mas pelo poder de ter encontrado o vazio, você reconhecerá a discrepância entre aparência e realidade. Pela meditação você identificou tanto o falso modo de aparência quanto o falso modo de apreensão.

❖

Vamos retornar ao ponto central. Todos nós temos uma idéia do "eu", mas precisamos entender que ele é apenas criado em dependência do corpo e da mente. O não-eu a que os budistas se referem diz respeito à ausência do eu que é permanente, unificado e independente. Ou mais sutilmente, pode se referir à ausência da existência inerente de qualquer fenômeno. Mas, os budistas valorizam a existência de um eu que muda a cada momento, criado em dependência da continuidade da mente e do corpo. Todos nós temos esta idéia válida de "eu". Quando os budistas falam sobre a doutrina do não-eu, não estamos nos referindo à não existência deste eu. Com este "eu", todos nós, corretamente, buscamos a felicidade e evitamos o sofrimento. É quando exageramos nossa visão de nós mesmos e outros fenômenos para significar alguma coisa com existência inerente que encontramos muitos e muitos problemas.

❖

RESUMO PARA A PRÁTICA DIÁRIA

Como um exercício para identificar como os objetos e seres aparecem falsamente para a percepção, faça o seguinte:

1. Observe de que forma um objeto como um relógio aparece em uma loja quando você olha para ele pela primeira vez. Então, veja como a aparência dele muda e se torna mais concreta à medida que você fica mais interessado nele. Finalmente, como ele aparenta quando você o compra e considera seu.

2. Reflita sobre como você aparenta para sua própria mente como se existisse inerentemente. Então, reflita sobre como os outros e seus corpos aparecem em sua mente.

9

O Caminho do Meio

A Necessidade da Concentração e da Sabedoria

Os textos budistas nos dizem que, ao se conscientizar sobre o vazio, a ilusão da existência inerente se enfraquece. Mas isto só ocorre em um breve período de tempo. Se você não puder meditar de maneira concentrada (a tranqüila absorção da mente), não poderá usar apenas a compreensão do vazio para acabar com a ilusão da existência inerente. Mais ainda, precisará se voltar novamente para a análise várias e várias vezes. Pela meditação concentrada, sua mente ganhará força, profundidade, estabilidade e capacidade de se concentrar apenas no vazio – o que o ajudará a diminuir, aos poucos, os níveis mais grosseiros de percepções equivocadas da realidade.

Esta é a razão por que os Discursos do Buda, assim como os três níveis mais baixos dos Tantras, relatam que a tranqüila absorção (meditação concentrada) é um pré-requisito para o discernimento especial (sabedoria). A meditação estabilizadora utilizada na tranqüila absorção e a meditação analítica usada no discernimento especial não se diferenciam pelos objetos de meditação. Ambos podem ter como foco o vazio ou fenômenos convencionais. A diferença é que observar o vazio de um estado de tranqüila absorção requer disciplina física e mental, induzida pela meditação estabilizadora sobre o vazio. Já o discernimento especial observando o vazio envolve também disciplina física e mental induzida pela meditação analítica em relação ao vazio. Este nível de disciplina só pode ser obtido pela realização de nível mais fácil de disciplina produzida pela meditação estabilizadora. Assim, você precisará encontrar a tranqüila absorção antes do discernimento especial.

Ainda que a tranqüila absorção possa ser atingida ao se considerar o vazio como seu objeto, isto funciona apenas para os praticantes que já entenderam o vazio. Mas, normalmente, os praticantes conseguem primeiro a meditação concentrada em um ponto e, depois, conseguem conceber o vazio pela análise do raciocínio.

A NECESSIDADE DO RACIOCÍNIO

Todas as escolas budistas concordam que o processo da análise do raciocínio, que leva a uma conclusão (uma realização conceitual), deriva da percepção básica, parcial e direta. Como exemplo, consideremos o seguinte raciocínio:

> Uma planta não existe inerentemente porque tem uma origem dependente.

Você começa refletindo sobre o fato de que a planta tem uma origem dependente porque sua produção depende de certas causas e condições (como a semente, solo, luz do sol e água). Mas, eventualmente, o processo de raciocínio deve ser apoiado pela percepção direta, ou não poderá se manter. Podemos ver com nossos olhos que as plantas mudam. Elas crescem, amadurecem e finalmente murcham. Neste sentido, a conclusão é cega, pois ela conta com a percepção direta. A conclusão depende do raciocínio, que, por sua vez, se apóia na experiência básica, parcial e incontestável da percepção direta.

Os objetos passíveis de serem conhecidos podem ser divididos entre os óbvios, os ligeiramente obscuros e os muito obscuros. Para entender um assunto muito obscuro, é necessário recorrer às escrituras. Mas mesmo para este tipo de conclusão, não é suficiente apenas citar uma escritura para validar outra. Você deve analisar se:

- Há alguma contradição interna nas escrituras sobre o assunto em questão;
- Há alguma contradição entre o que a escritura diz sobre o assunto e a percepção direta;
- Há alguma contradição entre o que a escritura diz e o que pode ser conhecido pelo discernimento básico, derivado do raciocínio.

A análise é necessária mesmo nestes casos muito obscuros baseados nas escrituras.

O Buda determinou quatro etapas para estabelecer a confiança:

1. Não confie apenas na pessoa, mas confie na doutrina;
2. Em relação à doutrina, não confie apenas nas palavras, mas confie no sentido;
3. Com respeito ao sentido, não confie apenas no sentido que requer interpretação, mas confie no sentido que é definitivo;
4. Com respeito ao sentido definitivo, não confie apenas na compreensão dualística, mas confie na sabedoria da percepção direta da verdade.

O Buda também disse:

> Como o ouro, depois de ser queimado, cortado e polido
> Minha palavra deve ser usada por monges e estudiosos
> Depois de analisada corretamente,
> Não por respeito [a mim].

No processo de raciocínio, é muito útil relacionar as conseqüências absurdas de idéias erradas para se sobrepor ao potencial desta idéia errada, e então fazer uma afirmação comprovada. Quando eu era jovem e estudava lógica, um estudioso, certa vez, me disse que, tanto no debate (com um budista que defendia a existência inerente) quanto na meditação analítica particular, é preferível usar uma abordagem com silogismo, do tipo "Meu corpo não tem existência inerente porque sua criação é dependente". Mas terá um impacto maior usar as conseqüências absurdas como em "Infere-se que meu corpo não pode ser de criação dependente porque ele existe inerentemente", porque é fundamental para o budismo que todos os fenômenos sejam de criação dependente.

COMPATIBILIDADE DA CRIAÇÃO DEPENDENTE E DO VAZIO

O Buda estabeleceu os Discursos e Nagarjuna com seus filhos espirituais – Aryadeva, Buddhapalita e Chandrakirti –, ao comentarem o significado desses mesmos Discursos, usam o fato de os fenômenos serem de origem dependente como objetivo *definitivo* de estabelecer o vazio. Isto indica que os fenômenos, em geral, não são não-existentes e que os fenômenos impermanentes são empregados para exercer funções.

Quando o Buda ensinou as Quatro Nobres Verdades, primeiro ele identificou os verdadeiros sofrimentos, fontes, fins e caminhos. Então ele disse:

> Os sofrimentos são para serem reconhecidos, mas não há nada para ser reconhecido. As fontes de sofrimento são para serem abandonadas, mas não há nada para ser abandonado. A cessação é para ser efetivada, mas não há nada para ser efetivado. O caminho é para ser meditado, mas não há nada para ser meditado.

O significado deste trecho é que, ainda que haja fatores entre as Quatro Nobres Verdades para serem *convencionalmente* (e de maneira válida) reconhecidos, abandonados, efetivados e meditados, não há nada para ser *em última instância* reconhecido, abandonado, efetivado e meditado. Do ponto de vista da realidade final, todos esses estão acima da atividade. Tudo tem o mesmo gosto no vazio da existência inerente. Desta forma, o Buda especificou a perspectiva das duas verdades – convencional e absoluta.

Todos os fenômenos – causas e efeitos, ações e agentes, bom e ruim, e assim por diante – existem apenas convencionalmente, apenas nominalmente. Eles são de origem dependente, pois dependem de outros fatores para sua existência. Esta ausência de independência – ou vazio da existência inerente – é a verdade definitiva. Você compreenderá este verdadeiro vazio da existência inerente quando estiver insatisfeito com as meras aparências e usar a análise para investigar além da superfície.

Quando entender completamente aparência e vazio, também entenderá que ambos estão em harmonia um com outro. A aparência não exclui o vazio, e o vazio não exclui a aparência. Caso não entenda isso, você pode até acreditar em virtude, não-virtude, causa e efeito, e assim por diante, mas ainda assim estar inapto para acreditar no vazio. Da mesma forma, pode pensar que entende o vazio, mas estar inapto para acreditar nos fatos de causa e efeito – ajudar ou prejudicar, dor ou prazer – que se originam em dependência das condições. Sem a compreensão adequada, o vazio e a aparência parecem ser mutuamente excludentes.

Mas os fenômenos são vazios da existência inerente *porque* dependem de outras condições para sua existência. Inversamente, os fenômenos são capazes de funcionar *porque* são vazios da solidez da existência inerente. Se os fenômenos não fossem vazios da existência inerente, se eles *existissem* de fato por seu próprio poder, então eles não poderiam ser afetados por outras causas e condições – eles não mudariam. Nesse caso, eles não causariam prazer e dor, ajudariam ou prejudicariam. O bom e o mau seriam impossíveis.

A realização completa da origem dependente traz consigo o duplo entendimento da aparência e do vazio da existência inerente. Os extremos da completa não-existência e da existência inerente são simultaneamente esclarecidos por esses dois entendimentos. Saber que os fenômenos têm origem evita que se acredite nos extremos do niilismo ao permitir que os objetos e seres funcionem neste mundo – permitindo a causa e o efeito do carma. Saber que os fenômenos são dependentes também evita que se acredite nos extremos da existência inerente, ao negar que os fenômenos existam por sua própria conta. Mediante o entendimento dessas duas verdades, você chega ao caminho do meio.

O Sutra do Coração (O Discurso do Coração)

Qual a relação entre objetos e seu vazio? Esse tópico profundo faz parte de uma escritura sobre a perfeição da sabedoria, chamada de *Sutra do coração* [*Heart Sutra*], que é recitado e meditado diariamente pelo Grande Veículo budista em países budistas como China, Japão, Coréia, Mongólia, Tibete e Vietnã. É uma narração pequena e profunda do Buda sobre a sabedoria requerida para se sobrepor aos problemas em suas raízes e – em conjunto com uma motivação direcionada para os outros e atitudes compassivas – chegar à onisciência de um Buda. Aqui está completo o *Sutra do coração*:

> Homenagem à perfeição vitoriosa da sabedoria supramundana.
>
> Isto é o que ouvi: o Vencedor Supramundano vivia junto com uma grande comunidade de monges e uma grande comunidade de Bodhisattvas na Montanha do Abutre, em Rajagriha. Nessa época, o Vencedor Supramundano estava absorto na meditação concentrada de um conjunto de fenômenos chamado "percepção do profundo". Nessa época, o grande ser Bodhisattva, o Supremo Avalokiteshvara, também estava observando a prática da profunda perfeição da sabedoria e estava

vendo até mesmo os cinco agregados [formas, sensações, percepções, formações mentais e consciência] como vazios da existência inerente.

Então, por intermédio do poder do Buda, o Venerável Shariputra disse para o grande ser Bodhisattva, o Supremo Avalokiteshvara:

> Como deve uma criança de boa linhagem – que deseja praticar a profunda perfeição da sabedoria – treinar?

O grande ser Bodhisattva, o Supremo Avalokiteshvara, respondeu para Shariputra:

> Shariputra, os filhos ou filhas de boa linhagem que desejam praticar a profunda perfeição da sabedoria devem ver [os fenômenos] como se segue. Eles devem correta e completamente ver até esses cinco agregados como vazios de existência inerente. Forma é vazio; vazio é forma. O vazio não é nada mais do que a forma; a forma não é nada mais do que o vazio. Do mesmo modo, sensações, percepções, formações mentais e a consciência são vazios.
>
> Shariputra, portanto, todos os fenômenos são vazios – sem características, não produzidos, não

extinguidos, não poluídos, não livres da poluição, não decrescentes, não crescentes. Assim, Shariputra, no vazio não há estado físico, sensações, percepções, formações mentais, consciência, olhos, ouvidos, nariz, língua, corpo, mente, sons, cheiros, sabores, objetos tangíveis, nenhum [outro] fenômeno. No vazio, não há nenhum componente de olho ligado a nenhum constituinte mental nem a nenhum componente da consciência mental. No vazio, não há ignorância nem a extinção da ignorância, ligada a não-extinção do envelhecimento e da morte. Da mesma forma, no vazio não há sofrimentos, origens, cessações e caminhos; nenhuma sabedoria elevada, nenhum alcance e também nenhuma ausência de alcance.

Portanto, Shariputra, como os Bodhisattvas, os grandes seres, não obtêm alcance, eles dependem e permanecem na perfeição profunda da sabedoria. Suas mentes são sem obstrução e sem medo; tendo passado diretamente pelos erros, eles se encaminharam para a finalidade do nirvana. Mesmo todos os Budas do passado, presente e futuro despertaram manifesta e completamente para a iluminação incomparável, completa e perfeita da dependência nesta profunda perfeição da sabedoria.

Por isso, o mantra da perfeição da sabedoria é o mantra do grande conhecimento, o mantra incomparável, o mantra igual ao inigualável, o mantra que pacifica completamente todo o sofrimento. Deve-se saber que o que não é falso, é verdadeiro. Para expressar o mantra da perfeição da sabedoria:

Tadyata gate gate paragate parasamgate bodhi svaha avance, avance, avance além, avance diretamente além, tenha como objetivo a iluminação.

Dessa forma, Shariputra, os grandes seres Bodhisattvas devem treinar na perfeição profunda da sabedoria.

Então, o Vencedor Supramundano saiu dessa meditação concentrada e disse para o grande ser Bodhisattva, o Superior Avalokiteshvara:

Muito bem, criança de boa linhagem, é só isso. É só isso. Pela maneira que você indicou, a perfeição profunda da sabedoria deve ser praticada. Mesmo Aqueles que Foram Assim admiram isto.

Depois de o Vencedor Supramundano ter pronunciado isto, o venerável Shariputra, o grande ser Bodhisattva

Avalokiteshvara, todos os que estavam à volta, e os seres do mundo – incluindo deuses, homens, semideuses e animais – admiraram e louvaram as palavras do Vencedor Supramundano.

Forma e Vazio

Retirando de uma longa tradição de comentários da Índia e Tibete sobre o *Sutra do coração*, ofereço agora considerações para se pensar sobre esta passagem central: "Forma é vazio; vazio é a forma. O vazio não é nada mais do que a forma; a forma não é nada mais do que o vazio." Esta frase profunda contém muitos significados.

1. Todas as pessoas e coisas são dependentes de suas causas, de suas partes e não podem existir independentemente delas. Elas são de origem dependente. Por isso, são vazios de existência inerente. Como todos os fenômenos são de origem dependente, eles têm uma natureza de vazio.
2. Contrariamente, como os seres e coisas não têm natureza independente ou inerente, eles dependem de outros fatores. Eles devem ser de origem dependente.
3. O vazio das formas não está separado das formas. As formas propriamente ditas que são produzidas e desin-

tegradas pela presença de condições são por sua própria natureza vazias de existência inerente.

4. Essa ausência de existência inerente é a realidade final, seu modo de eternidade, seu modo final de ser.
5. Em suma, a produção e desintegração, aumento e diminuição, e assim por diante, das formas são possíveis porque as formas são vazias de existência poderosa por si mesma. Fenômenos como as formas são considerados como surgidos de dentro da esfera da natureza do vazio.

Conseqüentemente, o *Sutra do coração* enuncia: "Forma é vazio; vazio é forma. O vazio não é nada mais do que a forma; a forma não é nada mais do que o vazio." Desta maneira, o vazio e a origem dependente estão em harmonia.

Em resumo, as formas não são vazias por causa do vazio. As formas, por si só, são vazias. O vazio não significa que um fenômeno é vazio por não ser um objeto, mas que ele é vazio de sua própria existência inerente. Dizer que a forma é vazio significa que a natureza final de uma forma é sua falta natural de existência inerente. Como as formas são de origem dependente, elas são vazias de uma entidade independente com poder próprio. Dizer que o vazio é forma significa que esta falta natural da existência inerente – que é a ausência do princípio do poder próprio – torna possível as formas que são sustentadas por ela em dependência de condições. Como as formas são as bases do vazio, o vazio é forma; as formas parecem como reflexos do vazio.

Minha própria experiência mostra que é mais fácil entender que as coisas têm origem dependente porque são vazias de existência inerente do que entender que devido as coisas serem vazias, elas devem ter origem dependente. Ainda que intelectualmente eu conheça esta última muito bem, verificar no nível das sensações é mais difícil. Hoje em dia eu reflito, freqüentemente, sobre uma passagem da *Grinalda preciosa*, de Nagarjuna:

> Uma pessoa não é terra nem água,
> Nem fogo, nem vento, nem espaço,
> Nem consciência, e nem todos eles reunidos
> Que pessoa existe além disso tudo?

Inicialmente, ele indaga se os elementos físicos do corpo – terra (matéria sólida), água (fluidos), fogo (calor), vento (ar) e espaço (os espaços vazios como a garganta) – poderiam ser o eu. Depois, ele examina a consciência. Então, pergunta se o conjunto de todos eles poderia ser o eu. Finalmente, ele, retoricamente, pergunta se o eu pode ser alguma coisa diferente destas. Em nenhuma dessas indagações, o eu pode ser encontrado.

Então, Nagarjuna não apresenta imediatamente a conclusão de que o eu não é real. Em vez disso, logo depois deste trecho, ele diz que o eu não é não-existente, mas é de origem dependente, que é feito dependente desses seis constituintes já mencionados. Então, baseado neste fato da dependência, ele chega à conclusão de que o eu não é real:

> Por ser [criado em dependência de] um composto de seis constituintes,
> Uma pessoa não é real.

Aqui, "não real" não significa *apenas* que o eu não pode ser encontrado quando olhamos juntos ou separados dos seis constituintes. Nagarjuna está insistindo no fato de que ainda que a mente consciente do vazio da existência inerente veja uma mera ausência, a mente promove uma compreensão de que o eu é de origem dependente. Eu sinto que o caminho que ele apresenta causa um grande impacto. Esse caminho evita tanto o extremo de considerar que o eu existe inerentemente quanto o extremo de que o eu não existe de maneira alguma.

Como os dois lados de uma mão, quando vistos de um lado ao examinar sua natureza profunda, há o vazio da existência inerente. Mas quando visto pelo outro lado, aparece o fenômeno em si. Existe apenas uma entidade. Portanto, a forma é vazio e o vazio é forma.

Você deve estar apto a entender que o significado do vazio é também a razão da origem dependente. Eles estão conectados intimamente. À medida que seu discernimento sobre o vazio aumenta, você verá mais claramente ainda que os objetos dependem de causas e condições, e de suas próprias partes. Eles também trazem prazer e sofrimento *porque* eles não existem inerentemente. Se você passa a achar que tudo é inútil porque é vazio, você está confundindo o vazio com o niilismo. Entender corretamente o vazio significa compreender como nós somos dependentes de causa e efeito. A compreensão natural e completa do vazio significa uma compreensão profunda da união entre a aparência e o vazio.

❖

A compreensão do vazio é fantástica, não é? Pode servir como um antídoto contra a compreensão errônea da existência inerente e também colabora para a melhor compreensão da lei da causa e do efeito. Esta é a verdadeira compreensão do vazio. É impossível explicar a importância da compreensão do vazio apenas falando ou escrevendo. É algo que precisa ser trabalhado por um longo período de tempo, junto com as práticas da moralidade – evitando ferir e aumentando a compaixão – e por meio de súplicas aos Budas, Bodhisattvas e outros mestres para ajudar a superar os obstáculos. Nós precisamos de muitas causas positivas.

Resumo para a Prática Diária

Reflita freqüentemente sobre como os fenômenos surgem dependendo de causas e condições, e tente ver como isso se opõe à maneira como pessoas e coisas aparentam ter existência sólida, existirem por si mesmas, existirem inerentemente. Se tender para o niilismo, reflita mais sobre a origem dependente. Se você se concentrar em causas e condições e tender a reforçar a existência inerente dos fenômenos, então enfatize mais sobre como a dependência contradiz esta aparência tão sólida. Você provavelmente será puxado de um lado para o outro. Demora um tempo para se achar o verdadeiro caminho do meio.

10
A Mente e a Natureza Profunda da Mente

❖

Em uma escritura sobre a sabedoria perfeita, o Buda faz a seguinte afirmação profunda:

> A mente não é para ser encontrada na mente; a natureza da mente é a clara luz.

Para entender os níveis de significado dessa afirmação, você precisa identificar o que a mente é, analisar sua natureza profunda e investigar como os efeitos bons e ruins aparecem. Vamos examinar as várias partes desta afirmação.

1. A expressão "na mente" se refere ao que a mente é – sua natureza luminosa e sábia. No Capítulo 7, sobre a meditação concentrada, falamos sobre a natureza luminosa e sábia da mente e, apesar de ela existir em todos os recantos da mente, em como é necessário deixar de lado os pensamentos anteriores e não começar os novos antes de identificá-los.

2. Quando o Buda diz "a mente não é para ser encontrada", isto indica que a luminosidade e a natureza sábia não são a natureza final e mais profunda da mente. Em vez disso, a natureza principal da mente é "clara luz", seu vazio de existência inerente.

Você pode estar pensando que o Buda diz que a mente não existe, mas não é isso que acontece. Eu, como um comentador, explico esta frase por intermédio do trabalho de minha própria mente. Você, o leitor, está interpretando pelas funções de sua mente. Sempre estamos usando a mente, o que não tem nada de mais, mas não a conhecemos direito. Assim, ainda que seja difícil definir a mente, ela existe e está sendo analisada em sua própria natureza profunda.

É óbvio que a mente existe. Mas como ela não estabelece sua própria natureza definitiva e sua disposição básica, o que é seu modo de ser? Sua natureza profunda é o mero vazio de sua própria existência inerente. Isto significa que as impurezas que poluem a mente – como a ignorância, luxúria e ódio – são temporários, e portanto separados da mente. Uma vez que essas impurezas são compreendidas como superficiais e não pertencentes à natureza básica da mente, vemos que a natureza profunda da mente é a clara luz, o vazio.

As Impurezas São Superficiais, a Natureza da Mente É a Clara Luz

Os textos budistas explicam de diferentes maneiras a frase "Impurezas são superficiais, a natureza da mente é a clara luz". Não é o caso do Buda ter dito algo tão vago que possa ser interpretado por qualquer maneira que alguém deseje. Na verdade, há muitos significados diferentes, explícitos e implícitos. Na Alta Ioga Tântrica, há muitas maneiras de extrair significado de afirmações fechadas. Alguém pode explicar seu sentido literal, seu significado geral, seu significado oculto e seu significado final.

Para esclarecer a afirmação do Buda, "Impurezas são superficiais, a natureza da mente é a clara luz", em combinação com o Tantra, vou citar o *Tantra da coleção mágica* [*Magical Array Tantra*], que é uma parte do *Repetição dos nomes do Tantra Manjushri* [*Repetition of the Names of Manjushri Tantra*]:

> Os Budas perfeitos vêm da letra *A*.
> *A* é a suprema das letras.

Dos quatro significados citados anteriormente, darei uma explicação *geral* desta afirmação. A letra *A* é uma partícula negativa no sânscrito. Ela indica o vazio, que é a ausência, ou negação, da existência inerente. Quando o *Tantra da Coleção Mágica* diz que "Os Budas perfeitos vêm da letra *A*", isso significa que os Budas aparecem de dentro da esfera numenal do vazio. Ou, para dizer de outra maneira, os Budas aparecem da meditação do vazio da existência inerente. Pela meditação, as impurezas são extintas na esfera numenal da realidade (o vazio da existência inerente). O vazio, simbolizado pelo *A*, é o tópico supremo e a partir daí o *Tantra da coleção mágica* diz: "*A* é a suprema das letras."

Também do ponto de vista da Alta Ioga Tântrica, a letra *A* se refere à gota indestrutível onde fica o corpo de um Buda. Na Alta Ioga Tântrica, o estado de Buda aparece por meio da concentração focada na gota indestrutível no centro do coração. O corpo final de um Buda tem a natureza da gota indestrutível. Isto se soma a nosso entendimento sobre a afirmação de que os Budas perfeitos vêm da letra *A*.

O que é a gota indestrutível? É a união do vento muito sutil com a mente muito sutil. A mente conhece os objetos, enquanto o vento, ou energia interna, faz com que a consciência se ligue aos objetos. Assim, com a união do vento e da mente há mudanças na consciência.

A Mente sem Começo

A consciência não é física. Ela não tem forma ou cor, ou as qualidades obstrutivas das coisas físicas. Sua entidade é mera luminosidade e cognição. Quando ela encontra certas condições (como quando um objeto está presente e a faculdade dos sentidos funciona adequadamente), ela reflete este objeto. Como a mente muda de momento a momento e aparenta ter diferentes aspectos, isso indica que a mente trabalha sob outras influências de causas e condições.

Uma mente surge em dependência de uma mente anterior do mesmo tipo, que requer que haja uma antiga continuidade sem começo da mente. Se a produção de uma mente não dependesse de momentos anteriores da mente, mas pudesse ser produzida sem causas, então a mente poderia ser produzida em qualquer lugar a qualquer tempo, o que é absurdo. Da mesma forma, se a consciência não fosse produzida como uma continuação de uma entidade anterior da consciência e, no lugar, fosse produzida por algo físico, ela poderia ser produzida ou não, o que também é um absurdo. Isso indica que a consciência é a continuação de uma entidade anterior da consciência.

Como a consciência é baseada em um momento de consciência anterior, não pode haver um começo para sua continuidade. Não há começo para a consciência, assim como não há fim. Essa continuidade torna possível a transformação da mente em estados mais aperfeiçoados. Quando a continuidade mental está associada aos estados impuros, nossa experiência fica limitada ao domínio da existência cíclica. Quando a continuidade mental se liberta dos estados impuros, podemos atingir o nirvana. Deste modo, todos os fenômenos são o artifício, ou passatempo, da mente. Os fenômenos impuros da existência cíclica são passatempos da mente impura. Os fenômenos puros do nirvana são passatempos da mente pura.

Estados Imperfeitos da Mente Dependem da Ignorância

Como foi dito que "A mente não é para ser encontrada na mente; a natureza da mente é de clara luz", os estados impuros da mente, como desejo e ódio, não fazem parte da natureza da mente. Eles devem ter sido produzidos pela ignorância – uma consciência equivocada sobre a existência inerente – seja no instante presente ou de uma causa anterior. Todos os estados imperfeitos da mente têm como raiz a consciência equivocada. A ignorância é uma forma de consciência que se equivoca em relação ao objeto de sua atenção; ela está errada em relação a ele; não tem uma cognição válida como raiz.

Uma consideração errada e uma consideração com um fundamento válido têm maneiras contraditórias de apreender os fenômenos, como um é oposto ao outro. Quando, em sua prática, você se acostuma a atitudes corretas, os estados imperfeitos da mente diminuem naturalmente até que finalmente estejam extintos.

O verdadeiro sistema de ensinamento budista está baseado na contradição natural. Queremos a felicidade e não queremos o sofrimento. O sofrimento que procuramos evitar vem principalmente das atitudes mentais. Como as fontes do sofrimento mental, direta ou indiretamente, são as emoções aflitivas, temos de considerar se existe alguma força se opondo a elas. Se, por exemplo, a raiva causa sofrimento, então devemos encontrar uma força oposta. Para a raiva, é o amor e a compaixão. Ainda que a raiva, o amor e a compaixão pertençam à consciência, eles têm diferentes formas de apreender o mesmo objeto. Suas realizações são opostas. Da mesma forma, se uma sala é muito quente, não há maneira de reduzir o calor que não seja aumentar o frio. Assim como o calor e o frio se opõem, o mesmo acontece com estados mentais opostos, puros e impuros. Quando um aumenta, o outro diminui. Assim, é possível remover os estados imperfeitos da mente. Antídotos existem.

UNIÃO DO CONVENCIONAL E DO DEFINITIVO

A mente é uma verdade convencional. A realidade da mente, seu vazio da existência inerente, é sua verdade absoluta. Essas duas verdades estão contidas em uma entidade indivisível. Assim como há uma união das duas verdades, convencional e definitiva, em relação à mente, também existe a união de duas verdades com respeito a cada um e a todos os objetos. Sua aparência é a verdade convencional. E seu vazio da existência inerente é sua verdade absoluta.

A realidade final é conhecida pelo raciocínio da origem dependente. Por exemplo, como a mente é uma entidade de origem dependente, a mente é vazia de existência inerente. Quando você entender o vazio pelo raciocínio da origem dependente, você entenderá que todos os fenômenos são uniões da origem dependente e do vazio. A aparência e o vazio são percebidos como harmoniosos.

Aparências de origem dependente dos fenômenos convencionais criam o contexto para se ensinar a compaixão – chamada de "caminho vasto", porque apresenta uma grande variedade de aparências. O vazio da existência inerente das aparências fornece a base para se ensinar o que se conhece como "o caminho profundo", porque o vazio é a *natureza final* dos fenômenos – pacífica, livre de conceitualizações e de um só gosto. Mediante o cultivo pela meditação desses dois caminhos – o aspecto vasto da compaixão e a profunda sabedoria do vazio – em um caminho inseparável, os estados imperfeitos da mente em sua continuidade sofrem uma transformação gradual. Eles são aos poucos removidos, e aparecem os atributos excelentes da mente e do corpo de um Buda.

O estado de Buda é atingido mediante o cultivo unificado da motivação e da sabedoria. Mas motivação e sabedoria têm suas respectivas marcas no estado de Buda. O resultado de cultivar a motivação é o Corpo da Forma de um Buda, que existe para agir em benefício dos outros. A marca de se cultivar a sabedoria é o Corpo da Verdade de um Buda, que existe para agir em benefício de seu próprio desenvolvimento. Quais são as formas principais da motivação e da sabedoria? A motivação primária é uma intenção dirigida para se atingir a iluminação, inspirada pelo amor e compaixão e inspiradora da prática de ações compassivas como a doação, moralidade e paciência. A forma principal da sabedoria é uma consciência inteligente sobre o vazio da existência inerente.

❖

Os fundamentos do budismo têm três tópicos. A *base* são as duas verdades, convencional e absoluta. Dessas duas verdades, o *caminho* surge com os fatores gêmeos da motivação e da sabedoria, cada uma relacionada com sua respectiva verdade. O *fruto*, ou resultado de se andar pelo caminho, é a atualização dos dois corpos – o Corpo das Formas e o Corpo da Verdade de um Buda. Para trazer tudo isso junto, na *base* das duas verdades – convencional e absoluta – você pratica as duas qualidades do *caminho* – motivação e sabedoria – que o leva a atingir o *fruto*, os Corpos da Forma e da Verdade de um Buda.

❖

RESUMO PARA A PRÁTICA DIÁRIA

1. Identifique a natureza luminosa e sábia da mente, sem estar obscurecida por pensamentos.

2. Investigue várias vezes a natureza profunda da mente para revelar a ausência da existência inerente, seu vazio, ao refletir a dependência da mente para causas e condições e a dependência de suas partes – incluindo o fato de que qualquer tempo que passe em sua mente depende de partes anteriores e posteriores desse mesmo período.
3. Tente entender a compatibilidade da aparência da mente com seu vazio de existência inerente. Veja como eles se apóiam mutuamente.

V

TANTRA

11

A Ioga Divina

❖

No budismo, há basicamente dois tipos de práticas: Sutra e Tantra. Até agora, discutimos as práticas do Sutra. O objetivo específico do Tantra é fornecer um caminho mais rápido para que os praticantes qualificados possam servir aos outros mais rapidamente. No Tantra, o poder da imaginação está atrelado à meditação em uma prática chamada Ioga Divina. Nessa prática, você imagina 1) trocar sua mente como ela aparece normalmente, cheia de emoções problemáticas, por uma mente de pura sabedoria motivada pela compaixão; 2) substituir seu corpo como ele normalmente aparenta (composto de carne, sangue e ossos) por um corpo moldado pela sabedoria motivada pela compaixão; 3) desenvolver um senso de um eu puro que depende da aparência pura da mente e do corpo em um ambiente ideal, totalmente engajado em ajudar os outros. Como essa prática específica do Tantra necessita de uma visualização de você mesmo com o corpo, atividades, recursos e tudo mais que cerca o Buda, ela é chamada de "usar a imaginação como o caminho espiritual".

Levemos em consideração uma apreensão quanto a esta prática. Você considera a si mesmo como tendo as qualidades do Buda, que atualmente não possui. Isto é, então, um tipo correto de consciência meditativa? Sim. Sua mente está voltada para entender a realidade, na qual você aparenta ser uma divindade. Assim, sua mente, deste ponto de vista, está correta. Você também está *propositadamente* imaginando a si mesmo como tendo um corpo divino, mesmo que você não apresente um. Isto é uma meditação imaginativa. No fundo, não se convenceu de que na verdade tem a mente, corpo e o eu completamente puros. Em vez disso, baseado na imaginação límpida de corpo e mente ideais, você está cultivando a sensação de ser uma deidade, ajudando compassivamente aos outros.

Para ser um aspirante *especial* do Tantra – ou seja, o tipo de aspirante específico que o Buda designou para a prática do Tantra – o praticante deve ter a capacidade desenvolvida e já ter chegado à sabedoria estável de considerar o vazio, ou estar pronto para uma rápida ativação desta sabedoria. Para apenas praticar o Tantra, as exigências são menos rigorosas. Para se praticar o Tantra em qualquer nível, ainda é necessário ter uma intenção poderosa para se tornar iluminado em benefício dos outros, e uma sensação de que isso precisa ocorrer muito rapidamente.

No início da prática tântrica, a maneira básica de desenvolver a tranqüila meditação é meditar sobre seu próprio corpo como se fosse de uma deidade. Quando você medita sobre um corpo divino, primeiro você medita sobre o vazio, conseguindo a maior consciência possível do vazio da existência inerente. Quando atingir este estado, usará esta mente em si como a base de onde a divindade aparece. A mente, concebendo o vazio, aparece como uma divindade e tudo o que está em volta dela. Primeiro você medita sobre o vazio, de onde a divindade aparece. Então, se concentra na própria divindade.

Desta forma, a ioga divina combina a sabedoria e a motivação compassiva. Uma consciência apenas concebe o vazio e ainda aparece compassivamente na forma de uma divindade altruísta. No sistema do Sutra, ainda que haja a união da sabedoria com a motivação compassiva, a prática da sabedoria é apenas *afetada* pela força da prática da motivação. E a prática da motivação é apenas *afetada* pela força da prática da sabedoria. Elas não estão contidas dentro da mesma consciência. Um aspecto diferente do Tantra é que ambas estão. A inclusão da motivação e da sabedoria dentro da mesma consciência é o que faz o progresso do Tantra ser tão rápido.

Quando eu era um rapaz, o Tantra era apenas uma questão de fé cega. Quando tinha vinte e quatro anos, perdi meu próprio país. Depois de chegar à Índia, comecei realmente a ler as explicações de Tsongkhapa sobre o vazio. Então, depois de me mudar para Dharamsala, me esforcei para estudar e praticar os estágios do caminho, do vazio e do Tantra. Foi só então, quase com trinta anos, depois de ganhar algum conhecimento sobre o vazio, que a ioga divina fez sentido.

Uma vez, no templo principal de Dharamsala, eu estava executando o ritual de me imaginar como uma deidade da Alta Ioga Tântrica, chamada Guhyasamaja. Minha mente lembrava, continuamente, do texto do ritual, e quando as palavras "eu mesmo" chegavam, eu esqueci completamente meu eu usual em relação à minha combinação de corpo e mente. Em vez disso, tive um claro sentimento de "eu" em relação à nova e pura combinação de corpo e mente de Guhyasamaja, que eu estava imaginando. Como este tipo de auto-identificação está no coração da ioga tântrica, a experiência me confirmou que, com tempo suficiente, eu poderia atingir, em definitivo, os estados extraordinários e profundos mencionados nas escrituras.

INICIAÇÃO

Para praticar o Tantra, é especialmente importante ter acesso à transmissão das bênçãos de antigos grandes seres. Orações também existem na prática do Sutra, mas são cruciais no Tantra. O primeiro meio de se alcançar essas bênçãos é pela porta da iniciação. Há quatro classes de Tantras – Ação, Desempenho, Ioga e Alta Ioga Tântrica –, cada uma com suas próprias iniciações para amadurecer a mente para a prática. Cada uma tem suas próprias meditações.

Onde você é iniciado? Na mandala, composta de habitantes divinos e a vizinhança ideal, que são todos manifestações de compaixão e sabedoria. Há mandalas de complexidades variáveis para cada um dos quatro Tantras. Algumas são pintadas. Outras são formadas de areias coloridas e ainda outras compreendem uma classe especial de mandalas concentradas.

Para ser iniciado e fazer os votos em uma mandala de Ioga Tântrica ou da Alta Ioga Tântrica, o lama que conduz a cerimônia deve ter a qualificação completa. Todos os quatro conjuntos de Tantras enfatizam especialmente os atributos do lama, em manter as descrições detalhadas do Buda sobre as qualificações dos mestres para os vários estágios do caminho. Lembre-se também do conselho do

Buda para não se basear nas pessoas, mas na doutrina. Você não deve se inibir com a reputação dos mestres. O mais importante é que o mestre conheça muito bem a doutrina e as práticas.

PROMESSAS SOLENES E VOTOS

Nos dois conjuntos inferiores do Tantra – Ação e Desempenho – não há indicação clara de que os votos tântricos devam ser feitos com a iniciação. Entretanto, há muitas promessas solenes para serem feitas. Nos dois tipos superiores – Ioga e Alta Ioga – depois de receber a iniciação de todas as formas, você precisa fazer os votos tântricos junto com as promessas solenes. A Ioga Tântrica e a Alta Ioga Tântrica têm catorze votos básicos, assim como uma lista de infrações que não devem ser cometidas. Mas como elas diferem em seus respectivos caminhos, os mesmos votos básicos diferem sutilmente. Como a prática do Tantra diz respeito, principalmente, à superação da *aparência* de você mesmo e do que está à sua volta como ordinários (para superar a *concepção* de ambos como ordinários), você se visualiza como tendo o corpo, atividades compassivas, recursos e a morada do Buda. Assim, a maioria das promessas solenes se refere à substituição das aparências ordinárias pelo ideal, e em restringir sua consideração por você mesmo, seus companheiros, seu ambiente e suas atividades.

Exceto pelo voto particular da libertação individual, que dura vinte e quatro horas, todos os outros votos de libertação individual são feitos por toda a vida (mas é possível anular os votos de alguém e devolver a ordenação). Por contraste, os votos do Bodhisattva e do Tantra se estendem até o tempo da alta iluminação, enquanto não se cometer uma infração radical.

Primeiro, alguém assume a moralidade da libertação individual, depois a moralidade do Bodhisattva e finalmente a moralidade tântrica. Chefes de família que fazem os votos do Bodhisattva e do Tantra mantêm uma versão de chefes de família da libertação individual. O *Tantra de Kalachakra* [*Kalachakra Tantra*], que floresceu durante o século XI na Índia e se tornou o principal Tantra das Novas Escolas Traduzidas do Tibete, diz que se houver três professores de Tantra, um com os votos de chefe de família, outro com os votos de um noviço monástico e o terceiro com os votos de um monge completo, a pessoa que fez os votos de um monge completo deve ser considerado superior aos outros. Isso indica a alta estima que mesmo este sistema tântrico coloca na moralidade monástica. O *Tantra de Guhyasamaja* [*Guhyasamaja Tantra*] diz que externamente você deve manter a disciplina da prática da libertação individual, e internamente manter uma afinidade para a prática do Tantra. Dessa forma, as práticas do Sutra e do Tantra trabalham juntas.

USANDO O SEXO NO CAMINHO

Vamos começar a considerar a questão do desejo sexual no caminho do Tantra, ao olhar para a proibição contra a má conduta sexual na moralidade da libertação individual, que é inteiramente baseada no princípio de evitar causar sofrimento. Especificamente, a má conduta sexual é identificada, em detalhes, no *Tesouro do conhecimento manifesto* [*Treasury of the Manifest Knowledge*], de Vasubandhu. Para um homem, seria coabitar com a mulher de outro, ou com alguém que ainda esteja sob os cuidados da família. Para uma mulher, é a mesma coisa: é proibido coabitar com o marido de outra pessoa ou com alguém que ainda esteja sob os cuidados da família. Alguns sugeriram, ridiculamente, que como o texto de Vasubandhu explica as dez não-virtudes do ponto de vista de um homem, não há problema em uma mulher praticar as ações não-virtuosas – e assim não haver proibições para uma mulher!

Para os budistas, o intercurso sexual pode ser usado no caminho espiritual porque ele causa um foco poderoso da consciência se o praticante tiver uma firme compaixão e sabedoria. O objetivo é manifestar e prolongar os níveis mais profundos da mente (descritos anteriormente em relação ao processo de falecimento), para direcionar seu poder no fortalecimento da concepção do vazio. De outra forma, o simples intercurso não tem nada a ver com o trabalho espiritual. Quando uma pessoa atingiu uma prática de alto nível na motivação e sabedoria, então mesmo a união de dois órgãos sexuais – o chamado intercurso – não impede a manutenção da pureza do comportamento desta pessoa. Os iogues que atingiram um alto nível neste caminho e estejam qualificados podem utilizar a prática sexual. Um monge com esta habilidade pode manter todos os preceitos.

Um tibetano adepto da ioga, quando criticado por outro, disse que ele comia carne e bebia cerveja como oferendas para a divindade da mandala. Praticantes tântricos como este visualizam a si mesmos como divindades em uma mandala completa, dentro da compreensão de que a divindade suprema é o êxtase supremo – a união do êxtase e do vazio. Ele também disse que sua prática sexual com uma consorte era praticada com o objetivo de desenvolver o conhecimento verdadeiro. E esse realmente é o propósito. Um praticante como este pode usar espiritualmente não apenas comida e bebida deliciosas, mas mesmo o excremento humano e a urina. A meditação de um iogue transforma ambos em um prato magnífico. Para pessoas como nós, entretanto, isso está além do nosso alcance. Enquanto você não conseguir transformar fezes e urina, essas outras coisas não seriam feitas!

Justamente por isso o Buda relacionou uma série específica de estágios no caminho. O estágio preliminar é o treino nos votos da libertação individual. Se você vive como um monge ou uma monja, sua conduta possui uma base mais forte. Há pouco perigo de distração excessiva. Mesmo se não puder implementar totalmente os votos monásticos, não há muito risco. Simplesmente pratique, pratique, pratique. Tendo desenvolvido força interior, conseguirá controlar os quatro elementos internos – terra, água, fogo e vento (ou os cinco elementos, se incluirmos o espaço interior). Uma vez que possa controlar totalmente esses elementos internos, terá condições também de controlar os cinco elementos externos. Então pode transformar qualquer coisa.

Como o intercurso sexual ajuda no caminho? Há muitos níveis diferentes de consciência. O potencial dos níveis mais grosseiros é muito limitado. Os níveis mais profundos e sutis são muito mais poderosos. Precisamos ter acesso a esses níveis sutis da mente. Para isso, precisamos enfraquecer e parar temporariamente a consciência grosseira. É necessário fazer mudanças dramáticas no fluxo das energias internas. Mesmo que uma amostra reduzida dos níveis mais profundos ocorra ao se espirrar ou bocejar, eles obviamente não podem ser prolongados. Também é necessária uma experiência prévia com demonstração dos níveis mais profundos de consciência para serem utilizados quando ocorrerem durante o sono profundo. É para isso que o sexo é usado. Mediante técnicas específicas de concentração durante o sexo, os praticantes competentes podem prolongar os estados muito profundos, sutis e poderosos e usá-los para conceber o vazio. Mas se você fizer o intercurso sexual em um contexto mental ordinário, não haverá benefício.

Um Buda não faz uso do intercurso sexual. As divindades que aparecem em uma mandala estão, freqüentemente, em união com um consorte, mas isso não sugere que os Budas dependam do intercurso para sua bem-aventurança. Os Budas têm a bem-aventurança total dentro de si mesmos. Divindades em união aparecem espontaneamente nas mandalas para o benefício das pessoas com faculdades bastante aguçadas que podem usar um consorte e a satisfação da união sexual para a prática do caminho rápido do Tantra. De maneira muito parecida, o Buda tântrico Vajradhara aparece em aspectos pacíficos e furiosos, mas isso não significa que Vajradhara tenha estes dois aspectos em sua personalidade. Vajradhara é totalmente compassivo. Sua aparição espontânea em diversas formas é para o benefício de quem está em treinamento. Vajradhara aparece na justa forma que os treinandos devem meditar quando usarem as emoções aflitivas como a luxúria e a raiva no processo do caminho. Para dominar estas emoções poderosas no caminho espiritual, quem está em treinamento não pode se imaginar como tendo o corpo pacífico de Buda Shakyamuni. A ioga divina é requerida. Como no caso da raiva, por exemplo, é necessário meditar sobre seu próprio corpo em uma forma agressiva, Vajradhara aparece automaticamente na forma feroz apropriada para mostrar como meditar. O mesmo vale para a ioga sexual. Quem estiver em treinamento e for capaz de usar a satisfação vinda do desejo envolvendo olhar, sorrisos, dar as mãos ou se unir precisa executar a ioga divina apropriada. Eles não podem se imaginar como Shakyamuni, um monge. O objetivo das várias aparições de Vajradhara não é assustar nem despertar o desejo em quem está treinando. Mas mostrar como praticar a meditação imaginativa nestas formas para eventualmente se sobrepor às emoções aflitivas.

Um Buda é capaz de aparecer espontaneamente, sem exceção, em qualquer forma apropriada. A forma dessas aparições é talhada pelas necessidades dos outros, não por causa do Buda em si. Do ponto de vista de um próprio Buda, este Buda tem o total autopreenchimento do Corpo da Verdade, no qual ele ou ela permanece para sempre.

❖

Lembre-se de que a moralidade tântrica é construída sobre a moralidade da libertação individual e da moralidade da compaixão. O objetivo final do Tantra é atingir o estado de Buda por um caminho mais rápido, para poder estar a serviço dos outros mais velozmente.

❖

Resumo para a Prática Diária

Como a prática do Tantra serve, primeiramente, para transformar o modo como você vê você mesmo, os outros, o ambiente e suas atividades, é muito útil visualizar-se como tendo uma motivação compassiva, um corpo puro e uma conduta que beneficie os outros.

VI

PASSOS PELO CAMINHO

12

Visão Geral sobre o Caminho da Iluminação

❖

Progresso Gradual

Como um praticante avança, aos poucos, para o estado de Buda através do cultivo, pela meditação, dos caminhos da motivação e da sabedoria? No *Sutra do coração*, o Buda expressa os níveis do caminho em uma frase curta e profunda: "*Tadyata gate gate paragate parasamgate bodhi svaha*" (pronuncia-se "Tadiata gate gate paragate parasamgate bodi svaha"). Vamos examinar mais de perto esta afirmação. Começamos pela primeira palavra, "*gate*" ("avance" ou "vá"). Quem está avançando? É o "eu" que é designado em dependência da continuidade da mente. De onde você está avançando? Você está se movendo para fora da existência cíclica, o estado em que se está sob influência das ações contaminadas e das emoções contraprodutivas. Para onde você está avançando? Para o estado de Buda, dotado do Corpo da Verdade, livre para sempre do sofrimento e das fontes do sofrimento (emoções aflitivas), assim como das predisposições estabelecidas pelas emoções aflitivas. De que causas e condições você depende enquanto avança? Você avança em dependência de um caminho que é a união da compaixão e da sabedoria.

O Buda está dizendo para quem está em treinamento que vá para a outra margem. Do ponto de vista deste, a existência cíclica está do mesmo lado, está à mão. Do outro lado, um lugar distante, o nirvana – o estado de se ter passado por cima dos sofrimentos.

Os Cinco Caminhos

Quando o Buda diz "*Tadyata gate gate paragate parasamgate bodhi svaha*" ("avance, avance, avance além, avance diretamente além, tenha como objetivo a iluminação"), ele indica para quem está treinando para avançar pelos cinco caminhos:

> *gate* – o caminho da acumulação;
> *gate* – o caminho da preparação;
> *paragate* – o caminho da visão;
> *parasamgate* – o caminho da meditação;
> *bodhi* – o caminho de nenhum aprendizado.

Vamos identificar a natureza do avanço espiritual sobre os cinco caminhos:

1. Qual é o caminho inicial, o *caminho da acumulação*? É aquele período em que você pratica principalmente a motivação direcionada para os outros e assim acumula grande quantidade de méritos. Também, ainda que você pratique uma união da motivação e da sabedoria, sua compreensão do vazio não atingiu o nível de apoio mútuo da meditação estabilizadora e a meditação analítica, chamado de "o estado surgido da meditação". Nesse caminho, você obtém uma poderosa meditação concentrada, e trabalha neste estado compreendendo o vazio.
2. No ponto em que você atinge um estado de sabedoria advindo da meditação que compreende o vazio, você passa para o *caminho da preparação*. Ao ficar mais e mais familiar com este estado, junto com o cultivo da motivação compassiva, você aos poucos percebe a aparência do vazio mais claramente sobre os quatro níveis do caminho da preparação (calor, apogeu, paciência e qualidades mundanas elevadas).
3. Finalmente, o vazio é compreendido diretamente, sem nem mesmo a contaminação mais sutil da aparência

dualística, que desapareceu. Este é o começo do *caminho da visão* – o caminho da compreensão inicial direta da verdade em relação à natureza profunda dos fenômenos. Neste ponto no Grande Veículo, começam os dez níveis do Bodhisattva (chamados de suportes porque neles são geradas as qualidades espirituais especiais). Durante o caminho da visão e o caminho da meditação, dois tipos de obstruções, adquiridas intelectualmente ou inatas, são respectivamente superadas. Os estados da mente intelectualmente adquiridos vêm da incorporação de falsos sistemas. Por exemplo, há seguidores de algumas escolas budistas que acreditam que os fenômenos existem convencionalmente por suas próprias características, baseados no "raciocínio" não fundamentado de que se os fenômenos não fossem estabelecidos desta maneira, eles não poderiam funcionar. Esse tipo de concepção errônea, poluída por um sistema inválido de princípios, é chamado de artificial, ou intelectualmente adquirido. Mesmo se você não tiver adquirido nova predisposição pelo pensamento conceitual errôneo nesta vida, todas as pessoas têm em seu *continuum* mental predisposições estabelecidas em vidas passadas.

Por contraste, os estados da mente inatos e errôneos existem em todos os seres sencientes – dos insetos ao homem – desde o tempo sem começo, e operam por sua própria maneira sem depender de falsas escrituras ou falsos raciocínios.

4. As obstruções intelectualmente adquiridas ou artificiais são removidas pelo caminho da visão, enquanto as obstruções inatas são mais difíceis de se sobrepor (porque você tem sido condicionado a esses estados errôneos desde o tempo sem começo). Elas devem ser removidas pela meditação contínua sobre o significado do vazio. Como essas meditações precisam ser efetuadas por um longo período de tempo, esta fase do caminho é chamada de o *caminho da meditação*. Assim, você meditou anteriormente sobre o vazio, mas o caminho da meditação se refere a um caminho de familiarização estendida.

Nesse nível, você passa através dos nove suportes remanescentes do Bodhisattva. Dos dez, os primeiros sete são chamados de impuros, os últimos três, puros. Isto porque nos primeiros sete você ainda está em processo de remoção das obstruções aflitivas e assim eles ainda não estão purificados. Pela primeira parte do oitavo suporte, você remove as emoções aflitivas. A força do oitavo, nono e décimo suportes o capacita para sobrepor as obstruções para a onisciência.

5. Agora, pelo uso da meditação concentrada como um diamante, obtida ao final dos dez suportes do Bodhisattva – o auge de ainda ter obstruções para serem superadas –, você pode eliminar efetivamente os obstáculos sutis à onisciência. No próximo momento, sua mente se transforma em uma consciência onisciente, e ao mesmo tempo a natureza profunda da mente se transforma no Corpo Natural de um Buda. Este é o quinto e último caminho, o *caminho de nenhum aprendizado*. De um vento, ou energia, muito sutil – que é uma entidade com esta mente – várias formas físicas puras e impuras surgem espontaneamente para ajudar os seres sencientes. Elas são chamadas de Corpos de Forma de um Buda. Este é o estado de Buda, um estado de ser a fonte de ajuda e alegria para todos os seres sencientes.

Deixe-me parar um instante para indicar muitos conceitos errados sobre o fato de mulheres poderem chegar ou não ao estado de Buda. No Sutra do Grande Veículo, não há nada que fale que uma mulher não pode atingir o estado de Buda. Mas os textos dizem que, durante as práticas para acúmulo de mérito sobre os três períodos de incontáveis grandes éons, você chegará ao tempo em que o carma com o qual está trabalhando amadurecerá como as marcas físicas e belezas de um Buda. Neste momento, de acordo com o Sutra do Grande Veículo, favorece ter forte constituição física, então você naturalmente deverá ter o corpo de um homem. Esses textos também dizem que na vida final antes de se atingir o estado de Buda, você precisará ter o corpo de um homem. Mas o Tantra da Alta Ioga, que consideramos ser o sistema definitivo, diz que não apenas uma mulher pode atingir o estado de Buda, como ela também pode conseguir direto nesta mesma vida.

Qualidades do Estado de Buda

Em todas as formas de budismo, a prática está baseada na intenção de deixar a existência cíclica. Além disso, no Grande Veículo você fica motivado pela intenção da consideração pelos outros para ser iluminado. No Tantra, mediante técnicas que facilitam o desenvolvimento da meditação concentrada, que é a união da absorção tranqüila com o discernimento especial, você pode atingir o estado de Buda em que todas as obstruções – as obstruções aflitivas que impedem a liberação da existência cíclica e as obstruções à onisciência que afastam o estado de Buda – foram removidas.

As qualidades de um Buda são descritas como diferentes "corpos" que podem ser divididos em dois grupos:

- O Corpo da Verdade, para a efetivação de sua própria felicidade.
- Os Corpos das Formas, para a efetivação da felicidade dos outros.

Os Corpos das Formas, por sua vez, podem ser divididos em como eles aparentam para os seres em diferentes níveis de pureza e impureza: os treinandos altamente avançados podem acessar o Corpo do Prazer Completo. Os treinandos de outros níveis conhecem uma grande variedade de Corpos Emanados. O Corpo da Verdade pode também ser dividido em dois tipos, o Corpo Natural e o Corpo da Sabedoria Exaltada. O Corpo Natural pode ser subdividido em um estado de purificação natural e um estado de purificação das impurezas eventuais (ou criadas). O Corpo da Verdade da Sabedoria Exaltada pode ser, por sua vez, dividido de acordo com muitos pontos de vista diferentes. O *Ornamento para a clara realização* [*Ornament for Clear Realization*], de Maitreya, especifica vinte e um grupos de sabedorias exaltadas e não contaminadas, que também podem ser subdivididas em cento e quarenta e seis grupos.

PRATICANDO A LONGA CAMINHADA

Esta foi uma rápida exposição do suporte – as duas verdades, convencional e absoluta; os caminhos abertos neste suporte – motivação e sabedoria; os frutos destes caminhos – os Corpos de Formas e Verdade de um Buda. É útil ter essa visão geral sobre a estrutura da prática, mas você deve se lembrar de que a compreensão é gerada por meio de muitas causas e condições – entendimento adequado, acumulação do mérito e sobreposição aos obstáculos. Se você não tiver, primeiro, acumulado mérito e purificado as más ações, será difícil chegar à compreensão apenas pela meditação. Assim, é importante trabalhar em cada um dos pré-requisitos.

Não é apenas uma questão de efetuar uma conta, ou mesmo em completar um retiro de três anos e três fases da lua (como alguém pode imaginar ao ver que muitos retiros duram este tempo), ou outro período de tempo. Em vez disso, você precisa acumular mérito e purificar as obstruções até que algumas realizações sejam criadas. Você pode ficar a vida inteira assim, com o objetivo de melhorar as vidas futuras. Às vezes, por causa da falta de conhecimento, as pessoas que fazem longos retiros ficam com um orgulho considerável só porque conseguiram terminar. O aumento do orgulho leva ao aumento da raiva, ciúmes e competitividade. O mesmo pode ocorrer com um simples livro da doutrina. Não é fácil. As emoções aflitivas são espertas.

A prática não é apenas o que você faz por algumas semanas ou por alguns anos. Ela acontece durante muitas vidas, de éons a éons. Como vimos, alguns textos dizem que a iluminação é atingida depois de se acumular um conjunto de méritos e sabedoria por três períodos de grandes incontáveis éons. Se você considerar propriamente esta afirmação, ela pode encorajá-lo a adotar uma atitude paciente e persistente durante as circunstâncias difíceis. Se ao ler isto você se entristeceu, pode ser por causa do seu desejo de atingir o estado de Buda rapidamente, por causa de sua grande consideração pelos outros. Pode ser também um sinal de falta de coragem. A iluminação não pode ser atingida sem que se trabalhe duro. Acreditar em outra coisa significa que você tem alguma forma de egoísmo.

❖

Esse é o processo completo do caminho. Os tibetanos podem não ter a riqueza que se guarda na carteira, eles têm a riqueza que se guarda na mente! As boas intenções apresentadas pelas outras religiões não são suficientes, devemos implementá-las na vida diária em sociedade. Então, podemos saber o verdadeiro valor de seus ensinamentos. Se um budista, por exemplo, medita em um templo, mas fora dele não age conforme essas idéias contemplativas, isso não está certo. Devemos praticar na vida diária.

O verdadeiro valor da prática é visto quando encontramos um período difícil. Quando estamos felizes e tudo vai bem, então a prática não parece tão urgente. Mas quando nos deparamos com problemas inevitáveis como a doença, envelhecimento ou morte, ou outras situações desesperadoras, se torna crucial controlar sua raiva, controlar seus sentimentos emocionados e usar sua boa mente humana para determinar como enfrentar o problema com paciência e calma.

Se praticarmos desta maneira, nossa primeira esperança é que possamos superar os problemas. Mas se isso não for possível, que pelo menos eles não atrapalhem sua paz mental. Isto é bom, não é? Você encara a situação e mantém sua paz mental – sem usar drogas ou tentar desviar seus pensamentos do problema. É por isso que gostamos muito de fins de semana e férias! Cinco dias por semana você está muito ocupado, trabalhando duro para ganhar dinheiro, então, no fim de semana, viaja para bem longe com o dinheiro que conseguiu, e fica aproveitando! Isto significa que você está tentando desligar sua mente do problema. Mas o problema ainda está aí.

Mas se tiver uma atitude mental adequada, não é necessário se distrair. Quando você pode enfrentar a situação e analisar o problema, então, como um grande pedaço de gelo na água, ele irá, aos poucos, derreter. Se você praticar com sinceridade, você experimentará seu real valor.

De acordo com as palavras do próprio Buda, seus ensinamentos vão durar por cinco mil anos. No final desse período, eles serão finalmente destruídos por alguém que é a reencarnação do próprio Buda. Quando esse dia chegar, é porque não haverá mais nenhum valor nesses ensinamentos. Mas há bilhões de mundos como o nosso, com bilhões de outros. Em alguns deles, os ensinamentos ainda estão sendo introduzidos. Em outros, estão minguando. Os ensinamentos permanecem continuamente em todas as épocas, em algum lugar. Os Budas nunca desaparecerão, e os ensinamentos nunca vão sumir.

❖

Resumo para a Prática Diária

Aqui estão, no mesmo lugar, todos os resumos para a prática, extraídos de todas as partes do livro. Concentre-se nos que sejam adequados para seu nível neste ponto. Ou você pode alternar entre eles durante uma semana. As práticas, se forem cultivadas pacientemente ao longo do tempo, se tornarão mais e mais familiares e sua vida ganhará mais sentido.

Moralidade da Libertação Individual

1. Examine sua motivação o máximo que puder. Mesmo antes de levantar da cama pela manhã, estabeleça um ponto de vista não-violento e não-abusivo para seu dia. De noite, avalie o que fez durante o dia.
2. Saiba quanto sofrimento existe em sua própria vida:
    - Há o sofrimento físico e mental da doença, envelhecimento e morte, que você naturalmente quer evitar.
    - Há experiências temporárias, como saborear uma boa comida, que parecem ser prazerosas por si mesmas, mas, se forem excessivas se transformam em sofrimento. Esse é o sofrimento da mudança. Quando uma situação muda do prazer para a dor, lembre-se de que a natureza profunda do prazer original está sendo revelada. Apegar-se a esses prazeres superficiais causará apenas mais sofrimento.
    - Reflita sobre como você está preso à condição do processo difuso que, mais do que estar sob seu controle, está sob influência do carma e das emoções aflitivas.

3. Desenvolva gradualmente uma visão mais realística de seu corpo, considerando sua constituição – pele, sangue, carne, ossos e assim por diante.
4. Analise sua vida detalhadamente. Com isso, verá que é difícil empregar mal sua vida, agindo como um robô ou ambicionando o dinheiro como o meio para a felicidade.
5. Adote uma atitude positiva em face das dificuldades. Imagine que, ao enfrentar uma situação difícil com compreensão, você estará também prevenindo as piores conseqüências dos carmas que viveria no futuro. Traga para si o peso de todos os sofrimentos, do mesmo tipo, das outras pessoas.
6. Avalie, regularmente, os efeitos possivelmente negativos e positivos de sentimentos como luxúria, raiva, inveja e ódio. Quando se torna óbvio que os efeitos são muito nocivos, continue sua análise. Gradualmente, suas convicções se fortalecerão. A reflexão repetida nas desvantagens da raiva, por exemplo, fará você entender que a raiva é sem sentido. Esta decisão diminuirá gradualmente sua raiva.
7. Tendo reconhecido o alcance do sofrimento, pesquisar suas origens, ou fontes, e identificar que a fonte de sofrimento é a ignorância sobre a verdadeira natureza

das pessoas e das coisas, que resulta em luxúria, ódio e assemelhados. Compreenda que o sofrimento pode ser removido, pode ser extinto da esfera da realidade. Reflita que esta verdadeira cessação está ligada à prática da moralidade, meditação concentrada e sabedoria – os caminhos verdadeiros.

8. Preste atenção na sua relação com roupas, comida e habitação, e adapte as práticas monásticas do contentamento para a vida laica. Esteja satisfeito com comida, roupas e habitação adequadas. Use o tempo livre para meditação, pois assim você consegue superar uma maior quantidade de problemas.
9. Desenvolva um forte desejo de evitar prejudicar os outros, seja física ou verbalmente, não importa o quanto você seja ofendido, insultado, injuriado, atacado ou atingido.

Moralidade da Consideração pelos Outros

Faça a visualização em cinco etapas do desenvolvimento da compaixão:

1. Permaneça calmo e controlado.
2. Na sua frente à direita, imagine uma reprodução de você mesmo, egoísta e autocentrada.

3. Na sua frente à esquerda, imagine um grupo de pessoas pobres, sofredores sem nenhuma relação com você, nem amigos nem inimigos.
4. Observe estes dois lados a partir de seu ponderado ponto de vista. Agora pense: "Ambos querem a felicidade. Ambos querem se livrar do sofrimento. Ambos têm o direito de alcançar esses objetivos."
5. Considere isto: assim como normalmente fazemos sacrifícios temporários para um benefício de longo prazo, também é muito mais importante beneficiar o grande número de seres sofredores de sua esquerda do que uma única pessoa egoísta de sua direita. Veja como sua mente naturalmente se volta em favor do lado com maior número de pessoas.

Faça o Ritual para a Aspiração à Iluminação.

Primeiro siga as sete etapas preliminares:

1. *Homenageie* o Buda Shakyamuni cercado de inúmeros Bodhisattvas, a quem você imagina preenchendo o céu na sua frente.
2. *Ofereça* todas as coisas maravilhosas – mesmo que você

não as possua –, incluindo seu corpo, seus recursos e sua própria virtude, para os Budas e Bodhisattvas.

3. *Revele* as incontáveis más ações do corpo, palavras e mente que você fez com intenção de prejudicar os outros. Arrependa-se de tê-las cometido, e resolva se abster de praticá-las novamente no futuro.
4. *Admire* do fundo do seu coração suas próprias virtudes e as dos outros. Rejubile-se das boas coisas que você fez nesta vida e nas anteriores, pensando "Eu tenho feito algo bom". Rejubile-se das virtudes dos outros, incluindo as dos Budas e Bodhisattvas.
5. *Peça* para os Budas que chegaram à completa iluminação, mas não transmitiram ainda seus conhecimentos, para ensinar em benefício dos sofredores.
6. *Suplique* para que os Budas não morram.
7. *Dedique* essas seis práticas para alcançar a mais alta iluminação.

Então, faça a parte central do ritual para aspirar à iluminação:

1. Com uma forte determinação para chegar ao estado de Buda para servir aos outros, imagine o Buda em frente a você, ou o seu mentor espiritual representado no Buda.

2. Recite três vezes como se estivesse repetindo na frente dele:

> Até que eu alcance a iluminação, eu buscarei refúgio no Buda, na doutrina e na suprema comunidade espiritual.
>
> Através da coleção de méritos de minha capacidade de doação, moralidade, paciência, esforço, concentração e sabedoria, que eu possa atingir o estado de Buda para ajudar a todos os seres.

Para manter e fortalecer este altruísmo profundo nesta vida, faça o seguinte:

1. Lembre-se várias vezes dos benefícios de desenvolver uma intenção de se tornar iluminado em benefício dos outros.
2. Divida tanto o dia como a noite em três períodos, e durante cada um desses períodos separe um pouco de tempo ou acorde e pratique as cinco etapas da visualização dadas no último capítulo. Também é suficiente visualizar as cinco etapas três vezes durante uma sessão em torno de 15 minutos e três vezes à noite por mais 15.
3. Evite desprezar mentalmente o bem-estar de qualquer pessoa.

4. O máximo que você puder, se engaje em atividades virtuosas com uma atitude positiva, e desenvolva uma compreensão básica da natureza da realidade, ou mantenha um desejo de fazê-la e trabalhe para isso.

Para manter e fortalecer este altruísmo profundo em vidas futuras:

1. Não minta para ninguém, a não ser que você possa ajudar imensamente outras pessoas com a mentira.
2. Ajude direta ou indiretamente as pessoas a progredir até a iluminação.
3. Trate todos os seres vivos com respeito.
4. Nunca engane os outros e sempre permaneça honesto.

Em resumo, pense sempre e sempre: "Que eu esteja apto para ajudar todos os seres vivos."

Meditação Concentrada

1. Escolha um objeto de meditação e concentre sua mente nele, tentando atingir e manter a estabilidade, limpidez e intensidade. Evite a lassidão e a agitação.
2. Alternativamente, identifique o estado fundamental da mente, não obscurecido pelo pensamento – pura lumi-

nosidade, o estado sábio da mente. Com a plena consciência e a introspecção, mantenha-se neste estado. Se um pensamento aparecer, apenas olhe para a natureza real deste pensamento. Isto fará com que ele perca seu poder e se dissolva.

Sabedoria

Como um exercício para identificar como os objetos e seres aparecem falsamente para a percepção, faça o seguinte:

1. Observe como um objeto como um relógio aparece em uma loja quando você olha para ele pela primeira vez. Então, veja como a aparência dele muda e se torna mais concreta à medida que você fica mais interessado nele. Finalmente, como ele aparenta quando o compra e considera seu.
2. Reflita sobre como você aparenta para sua própria mente como se existisse inerentemente. Então, reflita sobre como os outros e seus corpos aparecem em sua mente.
3. Reflita freqüentemente sobre como os fenômenos surgem dependendo de causas e condições, e tente ver como isto se opõe à maneira como pessoas e coisas aparentam ter existência sólida, existirem por si mesmas,

existirem inerentemente. Se você tender para o niilismo, reflita mais sobre a origem dependente. Se você se concentrar em causas e condições e tender a reforçar a existência inerente dos fenômenos, então enfatize mais em como a dependência contradiz esta aparência tão sólida. Provavelmente será puxado de um lado para outro. Demora um tempo para achar o verdadeiro caminho do meio.

Também:

1. Identifique a natureza luminosa e sábia da mente, sem estar obscurecida por pensamentos.
2. Investigue várias vezes a natureza profunda da mente para revelar a ausência da existência inerente, sua vacuidade, ao refletir a dependência da mente para causas e condições e a dependência de suas partes – incluindo o fato de que qualquer tempo que passe em sua mente depende de partes anteriores e posteriores deste mesmo período.
3. Tente entender a compatibilidade da aparência da mente com seu vazio de existência inerente. Veja como eles se apóiam mutuamente.

Tantra

Como a prática do Tantra serve, primeiramente, para transformar o modo como você vê você mesmo, os outros, o ambiente e suas atividades, é muito útil visualizar-se como tendo uma motivação compassiva, um corpo puro e uma conduta que beneficie os outros.

❖

Como meu próprio conhecimento é limitado e minha experiência é muito pequena, dei o melhor de mim para ajudá-lo a entender toda a amplitude dos ensinamentos do Buda. Por favor, pratique qualquer coisa que apareça nessas páginas e pareça útil. Se você seguir outra religião, por favor adote o que possa auxiliá-lo. Se você não achar que possa ser útil, apenas deixe o livro de lado.

Leituras Selecionadas

Sua Santidade, o Dalai Lama, Tenzin Gyatso. *The Dalai Lama at Harvard* [O Dalai Lama em Harvard]. Traduzido e organizado por Jeffrey Hopkins, co-editado por Elizabeth Napper. Ithaca, Nova York: Snow Lion Publications, 1989;

——— *Kindness, Clarity, and Insight*. Traduzido e organizado por Jeffrey Hopkins, co-editado por Elizabeth Napper. Ithaca, Nova York: Snow Lion Publications, 1984.

——— *The Meaning of Life*. Traduzido e organizado por Jeffrey Hopkins. Boston: Wisdom Publications, 2000. [*O sentido da vida*. São Paulo: Martins Fontes, 2001.]

Hopkins, Jeffrey. *Buddhist Advice for Living and Liberation: Nagarjuna's Precious Garland.* Ithaca, Nova York: Snow Lion Publications, 1998.

——— *Cultivating Compassion*. Nova York: Broadway Books, 2001.

Lopez, Donald S. *The Heart Sutra Explained*. Albany, Nova York: State University of New York Press, 1988.

Wallace, Vesna A. e B. Alan Wallace. *A Guide to the Bodhisattva Way of Life.* Ithaca, Nova York: Snow Lion Publications, 1997.

COLEÇÃO ARCO DO TEMPO

Consultoria de Alzira M. Cohen

MEDITAÇÃO – Pam e Gordon Smith
PAZ A CADA PASSO – Thich Nhat Hanh
VIVENDO BUDA, VIVENDO CRISTO – Thich Nhat Hanh
A ESSÊNCIA DOS ENSINAMENTOS DO BUDA – Thich Nhat Hanh
OS ESTÁGIOS DA MEDITAÇÃO – Dalai Lama
O MUNDO SAGRADO – Jeremy Hayward
EMOÇÕES QUE CURAM – org. Daniel Goleman
PURIFICAÇÃO EMOCIONAL – John Ruskan
O DESPERTAR DO BUDA INTERIOR – Lama Surya Das
O DESPERTAR DO CORAÇÃO BUDISTA – Lama Surya Das
O CHAMADO – David Spangler
A PORTA PARA SEU EU INTERIOR – John Callanan

Coleção Sábias Palavras

I CHING – O Livro das Mutações
O ESPÍRITO DO TAO – org. Thomas Cleary
A ARTE DA PAZ – Morihei Ueshiba
ENSINAMENTOS DO BUDA – org. Jack Kornfield e
Gil Fronsdal
O CAMINHO DE UM PEREGRINO – autoria desconhecida
O LIVRO TIBETANO DOS MORTOS – pelo guru Rinpoche

Este livro foi composto na DFL Ltda.
Rua Leandro Martins, 22 – sala 712 – Centro – Rio de Janeiro – RJ
e impresso na Editora JPA Ltda. Av. Brasil, 10.600 – Penha – Rio de Janeiro – RJ
para a Editora Rocco Ltda.